Pioneiros do MST

Caminhos e descaminhos de homens e mulheres que criaram o movimento

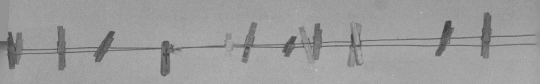

Eduardo Scolese
com fotos de Sérgio Lima

Pioneiros do MST

Caminhos e descaminhos de homens e
mulheres que criaram o movimento

EDITORA RECORD
RIO DE JANEIRO • SÃO PAULO
2008

```
CIP-BRASIL. CATALOGAÇÃO-NA-FONTE
SINDICATO NACIONAL DOS EDITORES DE LIVROS, RJ

S436p

Scolese, Eduardo
  Pioneiros do MST : caminhos e descaminhos de homens e mulheres
que criaram o movimento/Eduardo Scolese; com fotos de Sérgio Lima.
- Rio de Janeiro: Record, 2008.
  il.

  Inclui bibliografia
  ISBN 978-85-01-08073-8

  1. Líderes cívicos - Brasil - Biografia. 2. Movimento dos Trabalhadores
Rurais Sem-Terra - História. 3. Trabalhadores rurais - Brasil -
Atividades políticas. I. Título.

08-3731                          CDD 920.93333181
                                 CDU 929:332.2.021.8(81)
```

Copyright © Eduardo Scolese e Sérgio Lima, 2008

Projeto gráfico de miolo e capa: Miriam Lerner

Todos os direitos reservados. Proibida a reprodução, armazenamento ou transmissão de partes deste livro, através de quaisquer meios, sem prévia autorização por escrito.

Direitos exclusivos desta edição reservados pela
EDITORA RECORD LTDA.
Rua Argentina 171 - 20921-380 - Rio de Janeiro, RJ - Tel.: 2585-2000

Impresso no Brasil

ISBN 978-85-01-08073-8

PEDIDOS PELO REEMBOLSO POSTAL
Caixa Postal 23.052 - Rio de Janeiro, RJ - 20922-970

Impresso no Brasil
2008

"Movimento é uma tentação. É um negócio doido."

SÍLVIO MANOEL DOS SANTOS

"Aquele período [de ameaças de morte] foi um verdadeiro inferno para todos nós [da família]. Hoje nem sei por que estou vivo."

OSVALDO DE OLIVEIRA

"Estava empolgado, engajado. Pra me arrancar de lá era difícil. Estava mais preocupado com os problemas dos outros do que com os meus e da minha família."

ANTÔNIO INÁCIO CORRÊA

"Militância é um vício. Muitas vezes você pára de noite e começa a lembrar... É um vício que fica impregnado."

VALDECI ASSIS DE ANDRADE

SUMÁRIO

Apresentação 11

Barraco dos piás 17

Tralhas 43

Campo e cozinha 63

Cangaceiro 83

Rodovia do amor 101

Alphavela 125

Anticoncepcional 143

Bilhete premiado 165

Quarta série 191

Frei Carmelo 213

Lavadeira do São Francisco 237

Tropeiros do sertão 259

Mão lisa 279

"Quarentinha" 301

Cronologia 331

Agradecimentos 335

Fontes consultadas 336

Anexos 338

APRESENTAÇÃO

A idéia deste livro-reportagem surgiu numa pesquisa em antigas edições do *Jornal Sem Terra*. Folheando um exemplar do início de 1985, encontrei algo inusitado e que considerei perfeito para um projeto jornalístico de médio prazo.

Estava ali, no canto direito de uma página amarelada pelo tempo, a lista com os 20 integrantes da primeira direção nacional do Movimento dos Trabalhadores Rurais Sem Terra (MST), eleita em janeiro daquele ano, no primeiro congresso nacional do movimento.

Olhei um a um aqueles nomes e sobrenomes e me fiz duas perguntas: Por que, ainda em plena ditadura militar, o MST não teve medo de estampar a lista completa de sua direção nacional? E por que hoje, passados quase 20 anos de democracia, a lista atual dos diretores é guardada em segredo pelos líderes dos sem-terra?

O que valia de fato naquele momento era que estava diante de uma semente para uma grande reportagem. Onde estão e como vivem essas 20 pessoas? Quantas ainda atuam no movimento? São assentadas? Como e por que elas chegaram àquele congresso? Quais são as suas origens? Quais são as histórias de vida dos primeiros diretores nacionais do MST?

Pioneiros do MST

APRESENTAÇÃO

A Direção Nacional

A nova Coordenação Nacional ficou composta por dois lavradores de cada um dos estados que oficialmente fazem parte do Movimento dos Trabalhadores Sem Terra. Além desta Coordenação, responsável pelas decisões políticas do Movimento, os sem terra escolheram uma Executiva de dez membros, entre a própria Coordenação. Esta Executiva deverá encaminhar as atividades do Movimento durante o ano. Abaixo destacamos os nomes dos representantes da Coordenação e da Executiva Nacional.

RIO GRANDE DO SUL
Darci Maschio — Executiva
Geraldo Rodrigues
SANTA CATARINA
Francisco Dall'chiavon — Executiva
Agnor Bicalho Vieira
PARANÁ
Neuri Mantovani — Executiva
Jandir Basso
SÃO PAULO
Francisco Nascimento — Executiva
José Fernandez
MATO GROSSO DO SUL
Santina Gracielle — Executiva
Milicio Pereira da Silva
RIO DE JANEIRO

Osvaldo de Oliveira — Executiva
Laerte Rezende Bastos
ESPÍRITO SANTO
Osvaldo Xavier — Executiva
Silvio Manoel dos Santos
MINAS GERAIS
Santos Luiz Silva — Executiva
Antonio Inácio Correa
BAHIA
Adalberto Rocha Pacheco — Executiva
Olinda Maria de Oliveira
RONDÔNIA
Valdecir Assis de Andrade — Executiva
Lourival Dias de Oliveira

Página do jornal Sem Terra, *na qual estão estampados os nomes dos diretores nacionais eleitos no congresso - e personagens deste livro. O nome de Geraldo Melher dos Santos (Tralhas) foi equivocadamente anunciado como Geraldo Rodrigues*

Rastreei listas telefônicas; fiz pesquisas pela internet; pedi ajuda a escritórios regionais do movimento, a sindicatos de trabalhadores rurais e à Comissão Pastoral da Terra; conversei com padres, amigos, parentes, antigos vizinhos e qualquer um que, de alguma forma, pudesse me ajudar a localizá-los.

Pioneiros do MST

Nessa tarefa, notei que o próprio MST desconhecia o destino da maioria dessas pessoas, o que deu fôlego e importância ao projeto. Ou seja, o trabalho de localização desses primeiros diretores nacionais seria algo inédito e útil, inclusive ao movimento.

Nos primeiros contatos com os personagens, por telefone, notei neles uma natural desconfiança. Como me diriam depois, imaginaram: "Por que um repórter quer contar a minha história?" Alguns foram bem mais resistentes, em especial os que sofreram perseguições e ameaças de morte nos tempos de militância.

Foram três anos de busca. No fim, identifiquei o paradeiro de 17 deles, incluindo dois já mortos: Milício Pereira da Silva, de Mato Grosso do Sul, e Osvaldo de Oliveira, o Osvaldão, do Rio de Janeiro.

O passo seguinte foi conversar pessoalmente com os 15 personagens vivos, o que ocorreu nos meses de agosto e setembro de 2007. Foram 45 dias de viagem e 11 mil quilômetros percorridos, cruzando 11 estados e ainda o Distrito Federal, sempre ao lado do amigo e repórter-fotográfico Sérgio Lima, que, como eu, trabalha na sucursal de Brasília da *Folha de S.Paulo*.

Nesse trajeto, apenas um dos personagens, afastado há anos do movimento e localizado em Nova Iguaçu, na Baixada Fluminense, preferiu não aprofundar sua história. Baixo, magro, cabelo e bigode brancos, Laerte Rezende Bastos alegou que sua família ainda sofre com os traumas deixados pelos anos de repressão, vividos na disputa pela terra antes mesmo de ter chegado ao MST.

Esse perfil de Laerte já me era evidente. Num primeiro contato por telefone, um ano e meio antes da viagem, ele se mostrou superempolgado com a chance de contar a sua história. "Me ligue quando quiser, estou à disposição."

Em novo contato, um ano depois, uma mudança radical. Laerte reagiu ferozmente ao pedido de entrevista. "Deixe-me em paz. Não me procure mais!", gritou, antes de desligar abruptamente o telefone.

Deixei para fazer pessoalmente uma última tentativa. Com a ajuda da lista telefônica, localizei o endereço. De dentro do carro, parado na porta de seu prédio, fiz a ligação. Laerte atendeu. Não se mostrou empolgado nem grosseiro. Apenas deu o recado: "Me encontre em meia hora, na entrada principal do shopping. Estarei de calça jeans e de camisa branca."

Lá, após cinco minutos de conversa, Laerte marcou um novo encontro, dessa vez para a manhã do dia seguinte, na praça Santos Dumont, também em Nova Iguaçu.

Ele não apareceu. Por telefone, a mulher dele, de forma educada e ponderada, disse-me o seguinte: "Você quer mesmo saber sobre a vida dele? É só procurar os arquivos da polícia e do Exército. Ele não vai falar. Uma boa viagem pra vocês."

Odiado por uns e admirado por outros, o MST nasceu em 1984, elegeu sua primeira direção no ano seguinte, pôs o tema da reforma agrária na mídia, nos governos e nas disputas eleitorais, e se transformou num dos principais atores políticos do país. Seja em casa, no trabalho ou entre os amigos, tornou-se comum os brasileiros serem provocados a responder se apóiam ou se condenam as invasões de terra. Independentemente da resposta, o tema é recorrente.

A seguir, uma narrativa sobre personagens da história contemporânea do país que participaram do processo de criação do mais barulhento e polêmico movimento social brasileiro. Casos de tensão, suspense, drama, migração, assassinatos, disputa pela terra. Histórias contadas pelos próprios personagens, por familiares, amigos e antigos companheiros.

Para concluir esta apresentação, tomo emprestado de Iria Zanoni Gomes um trecho usado por ela na introdução da obra *A revolta dos posseiros – 1957*, na qual narra a vitoriosa investida armada de pequenos agricultores contra as empresas imobiliárias do oeste do Paraná: "Gostaria de ressaltar que, tratando-se de 'atores', não estou falando nem de heróis nem de vilões, mas de homens que, em determinadas condições, tomaram posições a favor de determinados interesses."

Eduardo Scolese

Pioneiros do MST

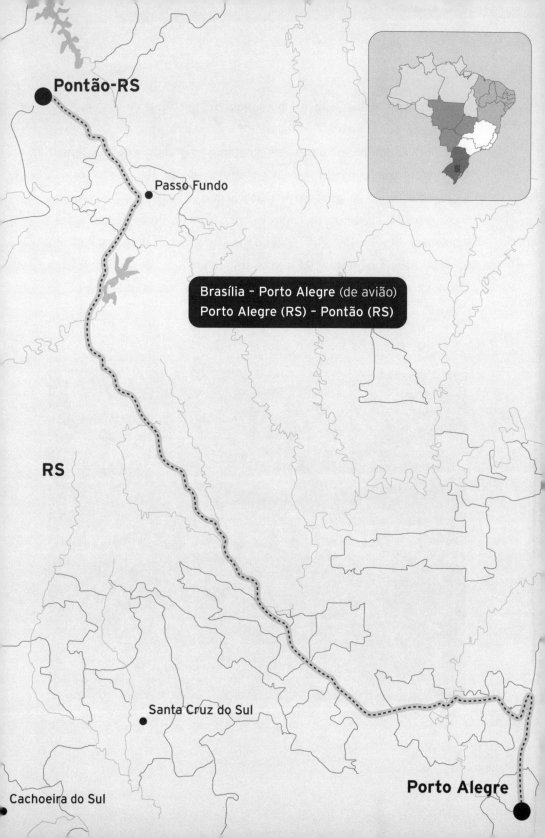

Barraco dos piás

"É o tipo de papel que tem que fazer contra a sua própria vontade. Num momento como esse [de conflito] é muito mais confortável ser povo do que ter a responsabilidade de direção."

Darci José Antunes Maschio

A viagem começa no Rio Grande do Sul, palco das principais ações da chamada fase de "gestação" do Movimento dos Trabalhadores Rurais Sem Terra, o MST.

No fim da década de 1970 e no início da seguinte, ocorreram no estado experiências de invasões de fazendas e de acampamentos com agricultores sem terra que estimularam a criação do movimento, oficializada em janeiro de 1984.

A primeira parada ocorre no município de Pontão, na região central do estado, a 380 quilômetros da capital, Porto Alegre.

Lá está Darci José Antunes Maschio, 50 anos, casado, pai de dois meninos e de uma menina. Darci nasceu em Três Passos, município do norte do Rio Grande do Sul, na fronteira com a Argentina, numa família de pequenos agricultores que viviam num modesto sítio. O pai, descendente de italianos, e a mãe, fruto do casamento de um negro com uma índia.

Ao lado de sete irmãos, Darci teve a infância e a adolescência marcadas por restrições. Estudou até a quinta série, e, para conseguir uns trocados a mais no fim de cada mês, atravessava o rio Uruguai para atuar no contrabando de pequenas mercadorias em solo argentino.

Pioneiros do MST

Em Três Passos, a quem interessasse, Darci deixava transparecer a sua indignação com certas realidades. Expunha aos amigos, em voz alta, a indignação pelo pouco-caso do governo com aquela região do estado.

O jovem rebelde trabalhava na terra dos pais e produzia somente o necessário para a subsistência da família. Nas fazendas vizinhas, para completar o apertado orçamento, fazia bicos em plantações de milho, de feijão e de soja.

O jovem agricultor sempre esteve longe das regalias. Ele e os irmãos cresceram à base de pães feitos com a massa de farinha de milho produzida pela própria família num moinho colonial. Por conta disso, nas últimas semanas de cada ano, os bicos em fazendas próximas se tornavam obrigatórios.

Parte dessa renda era usada na compra de farinha de trigo, produto caro para os padrões da família, mas necessário para que a mãe pudesse oferecer um pão diferente na ceia de Natal e na festa de *réveillon*.

As dificuldades, aliadas ao desejo de mudança, levaram o jovem agricultor à Igreja Católica. Na paróquia de Três Passos, Darci passou a coordenar atividades com os pobres da região. Organizava grupos de teatro e encontros de jovens, sempre dando um jeito de encaixar o recado de que a justiça deveria ser feita, mesmo que fosse na marra.

A rebeldia de Darci chamou a atenção de padres e assessores ligados à Comissão Pastoral da Terra, entidade da Igreja Católica criada em 1975 em meio à onda de conflitos e assassinatos de trabalhadores rurais no Centro-oeste e no Norte do país e que, nos anos finais da ditadura militar, se tornou um escudo para todos aqueles que, de alguma forma, lutavam pela redemocratização, como os sem-terra.

Pioneiros do MST

Logo recrutado pelo braço agrário da Igreja, Darci deu início de fato à sua formação política. Adotou a leitura de livros sobre socialismo e marxismo, além de cartilhas produzidas pela Pastoral sobre os direitos dos trabalhadores do campo.

Da biblioteca da igreja, o livro que mais chamou a atenção de Darci foi *Batismo de sangue*, de Frei Betto, que narra a forma como frades da Ordem dos Dominicanos ofereciam apoio à Ação Libertadora Nacional, movimento armado de resistência à ditadura militar.

No início da década de 1980, a Pastoral da Terra organizava reuniões para que trabalhadores rurais de diferentes estados pudessem trocar idéias sobre experiências de organização. O MST é fruto do trabalho das igrejas Católica e Luterana, ambas via Pastoral da Terra, e também de reivindicações e conquistas de lavradores em alguns estados.

Darci participou de um desses encontros, ocorrido em fevereiro de 1983, no município catarinense de Chapecó. De volta a Três Passos, escreveu, num caderno de anotações que guarda até hoje: "Foi assumido um compromisso pelos trabalhadores de voltar para seus estados e municípios e começar a trabalhar na conscientização e na organização dos sem-terra."

No município, com o apoio da Igreja, tratou de iniciar esse trabalho de organização. Ao fim de cada missa, os padres informavam aos presentes o local, a data e o horário das próximas reuniões dos sem-terra.

Após as celebrações, de prontidão na portaria das igrejas, Darci e um grupo restrito de amigos distribuíam aos colegas agricultores cópias de manifestos da Pastoral da Terra e exemplares de um livrinho com o Estatuto da Terra, lei sobre a questão de terra promulgada em 1964, primeiro ano do governo militar.

Pioneiros do MST

"Então nós, os sem-terra, estávamos querendo nos organizar para pedir ao governo do estado um financiamento para comprar terras. E essa terra deveria ser no Rio Grande do Sul, porque nós não queríamos ir para o Norte do país. Aqui no Rio Grande do Sul havia terra, bastava o governo financiar para nós", registrou Darci no caderno de anotações.

Aquele era um tempo no qual a ditadura militar incentivava os trabalhadores rurais, em especial do Sul do país, a aderirem a projetos de colonização nas regiões Centro-oeste e Norte. Apoio registrado anos antes na clássica frase do presidente-general Emílio Garrastazu Médici (1969-1974): "Dar terra sem homens aos homens sem terra."

Estava fresca na memória da Pastoral da Terra a ação dos militares no acampamento da Encruzilhada Natalino, quando alguns sem-terra foram convencidos pela ditadura a desistir de assentamentos no Rio Grande do Sul em troca de vastas áreas sem infra-estrutura no norte de Mato Grosso.

O acampamento da Encruzilhada Natalino talvez tenha sido o principal ato de resistência dos trabalhadores rurais contra a ditadura militar. Foi ainda um dos fatores políticos para a criação do MST. Centenas

Pioneiros do MST

de barracos de lona com famílias sem-terra permaneceram erguidos, entre dezembro de 1980 e março de 1982, na encruzilhada das estradas que levam a Passo Fundo, Ronda Alta e Sarandi.

O nome "Natalino" vem de Natalino Verardi, proprietário de terra da região que tinha um pequeno comércio à beira da rodovia.

À época, na tentativa de desmobilizar os sem-terra, o então presidente João Baptista Figueiredo enviou ao local o agente do regime Sebastião Curió Rodrigues de Moura, major Curió, conhecido no Sul como coronel Curió e já famoso por sua atuação no garimpo de Serra Pelada, no Pará, e pelas incursões contra os comunistas da Guerrilha do Araguaia, movimento armado comunista que atuou na divisa de Tocantins (na época, Goiás), Pará e Maranhão, entre 1972 e 1975.

Em menos de dois meses na Encruzilhada, Curió foi vencido pela resistência – poucos aceitaram a oferta dele de seguir para os projetos de colonização da Amazônia – e pela sorte dos líderes sem-terra do acampamento.

Num início de noite, um acampado tratou de girar o botão do rádio assim que ouviu a saudação do locutor da *Voz do Brasil*, programa produzido pelo governo e obrigatório em cadeia nacional. Em ondas curtas, pouco depois das sete horas, tentava sintonizar alguma rádio argentina, muitas delas com alcance no Rio Grande do Sul.

Gira pra cá, gira pra lá, até que o sem-terra ouviu uma conversa num bom e claro português: era nada mais do que o coronel Curió, via rádio, passando os informes do dia ao comando do antigo SNI, Serviço Nacional de Informações, em Brasília.

Com o rádio na mão, o colono saiu em disparada para o barraco no qual estavam os dirigentes do acampamento. Um deles era João Pedro

Pioneiros do MST

Stedile, que atuava às escondidas com os sem-terra por ser, naquela época, funcionário da Secretaria Estadual da Agricultura.

Nesse informe, diário e sempre às sete da noite, Curió fazia um relato das últimas atividades e narrava à chefia as estratégias para o dia seguinte. Num outro barraco, Stedile e os demais dirigentes do acampamento sintonizavam a "Rádio Curió", assim por eles chamada, ouviam os diálogos "supersigilosos" do militar e armavam a defesa para as horas seguintes, já cientes do que teriam pela frente.

Foi por meio dessa rádio que os líderes sem-terra souberam, em primeira mão, que Curió fora convocado para uma missão "importantíssima" no Bico do Papagaio. Ele deixou o local no fim de agosto de 1981 e, semanas depois, os sem-terra descobriram que a tal missão era, na verdade, articular a prisão de dois padres franceses.

Tempos depois, Curió iria dizer que não teve sucesso na Encruzilhada Natalino porque, segundo ele, os sem-terra do acampamento conseguiam se antecipar às suas táticas por serem dirigidos por guerrilheiros muito bem treinados do MR-8, o Movimento Revolucionário 8 de Outubro, grupo armado de militantes da esquerda contra a ditadura militar que já estava fora de combate na época do acampamento.

***

No fim de maio de 1983, na sede da paróquia de Três Passos, Darci ajudou a organizar uma reunião com 15 líderes dos 12 núcleos de sem-terra formados na região.

Para falar aos colonos, Darci convidou um advogado.

No caderno, ele explicou: "Porque os sem-terra não acreditavam muito em outros sem-terra. Teriam que ouvir um doutor afirmar que eles realmente tinham um direito assegurado por lei de possuir um pedaço de terra."

Em julho, cinco meses após o encontro de Chapecó, Darci conseguiu criar a comissão dos sem-terra de Três Passos, iniciativa logo seguida pelos municípios vizinhos de Tenente Portela, Miraguaí, Redentora, Erval Seco e Crissiumal.

No Rio Grande do Sul, a base do MST foi criada muito por conta da expulsão dos colonos do campo depois da modernização da agricultura, a partir da década de 1970. A maioria deles, aliás, recusara o convite da ditadura militar para migrar para os projetos de colonização. Preferiram ficar no estado e brigar por um pedaço de terra.

***

No ano seguinte, 1984, já com os núcleos de trabalhadores rurais montados nos municípios da região, Darci investiu esforços para que as comissões, unidas, ajudassem na consolidação do MST, criado oficialmente em janeiro daquele ano, num encontro no município de Cascavel, no Paraná.

Em agosto, Darci relatou em seu caderno o resultado de uma reunião da comissão estadual:

"O movimento está avançando porque as autoridades estão ficando com medo. O movimento sindical está respeitando o movimento, os deputados estão respeitando a liderança dos sem-terra, o povo está tomando consciência do que é a luta. O movimento já tem força política."

Ainda na reprodução do que havia sido discutido na mesma reunião da comissão estadual, Darci anotou quais seriam as próximas tarefas do MST:

"Ocupações, treinamento de lideranças, dividir mais as tarefas, continuar o trabalho na base, comprometer mais os sindicatos, ampliar o trabalho em mais municípios e cobrar as autoridades."

Darci voltou a Chapecó dois meses depois para mais um encontro. Dessa vez, para a reunião da Comissão Regional Sul dos Sem-Terra. Durante três dias, Darci ouviu e falou bastante.

Todos ali estavam preocupados com a sucessão presidencial. O encontro debateu o que seria dos sem-terra diante de um governo de Tancredo Neves ou de Paulo Maluf.

Mais uma vez, Darci resumiu as falações no caderno, numa análise de conjuntura mais do que atualizada, duas décadas depois:

"Não há diferença entre governo de situação e de oposição. Eles se unem em termos de classe dominante. Escolhem o melhor caminho para continuar explorando. Estão em partidos diferentes, mas com o mesmo objetivo, que é dominar. Os governos estaduais não têm proposta para os sem-terra. O próximo governo federal continuará com a mesma política agrária."

***

O ano de 1985 seria intenso para Darci.

Logo em janeiro, em Curitiba, participou do primeiro congresso nacional do MST, no qual foi eleita a sua primeira direção nacional.

Com 27 anos de idade, Darci saiu da capital paranaense como diretor do movimento e chegou ao Rio Grande do Sul com o objetivo de colocar em prática a principal ordem do congresso: "Ocupação é a única solução."

Pioneiros do MST

Foi o que fez. No mesmo ano, por volta das cinco da tarde do dia 28 de outubro, ao lado de um seleto grupo de militantes do movimento, Darci bateu o martelo: a fazenda Annoni, no município de Sarandi e com cerca de 9 mil hectares, seria invadida de madrugada.

Naquele fim de tarde chuvoso, dirigindo uma Kombi emprestada pela Igreja por 12 municípios vizinhos de Três Passos, enfrentou estradas enlameadas para avisar um a um os líderes sem-terra, sindicalistas e assessores da Pastoral da Terra.

Cada um deles teria a tarefa de avisar as demais famílias locais interessadas em participar da ação.

Curto e grosso, efeito da pressão de coordenar uma ação daquele tamanho, Darci pediu que cada um desses emissários enchesse as carrocerias dos caminhões com colonos e, por volta das dez da noite, estivessem estacionados no trevo de saída para Três Passos e Santa Rosa.

De dez em dez, os caminhões partiriam em comboios para a Annoni, uma área cujo processo de desapropriação estava travado na Justiça desde 1975 e que se tornou emblemática para o movimento.

Darci ainda deu outra orientação:

– Se a fileira com dez caminhões for interceptada em alguma barreira da polícia rodoviária, saltem imediatamente das carrocerias e ergam ali mesmo o acampamento. Não importa que estejam longe ou perto da Annoni.

Os líderes do MST sabiam que muitos desses colonos, caso voltassem para casa após um bloqueio policial, talvez nunca mais recuperassem o ânimo para mais uma vez juntar suas tralhas (como eles mesmos se referiam aos seus poucos pertences), se despedir dos vizinhos e subir na carroceria de um caminhão para encarar uma invasão de terra. Uma situação como essa seria um duro golpe num movimento em pleno processo de formação.

Pioneiros do MST

No total, naquele dia, cerca de 1.500 famílias, de 32 municípios gaúchos, foram convocadas para a invasão.

Todos sabiam que um dia essa ação ocorreria, mas a tática de avisar em cima da hora fazia parte da estratégia de discrição do movimento para não chamar a atenção da polícia.

Darci cuidou do aviso em 13 municípios, enquanto os 19 restantes ficaram a cargo de outros jovens militantes do movimento.

***

A noite caiu em Três Passos. Darci estacionou a Kombi na paróquia da cidade e assumiu o volante de seu fusquinha branco, ano 1977. A cada grupo de dez caminhões, Darci saía à frente, em disparada, para rastrear possíveis barreiras policiais.

Outro detalhe importante: os caminhões foram alugados sem que os motoristas soubessem o real motivo do frete, mesmo porque invasão de terra, naquela época, não era algo costumeiro no país, e muitos deles poderiam simplesmente recusar o serviço.

Uma das preocupações era evitar que alguns das dezenas de caminhões se perdessem pelo caminho. Por conta disso, um integrante do MST estacionou um Corcel marrom no trevo de Sarandi.

Da boléia dos caminhões, ao avistar esse veículo com o capô aberto, como se estivesse quebrado, no lado direito da estrada, os líderes dos sem-terra orientavam o motorista para seguir à esquerda e, no trevo seguinte, à direita. O Corcel era a senha para chegar sem erro à entrada de acesso à fazenda Annoni.

Até a madrugada de 29 de outubro de 1985, com a ajuda de um

Fusca do padre de Três Passos e de uma Brasília de um colega agricultor, Darci, com seu Fusca, abriu caminho para 27 caminhões, num total de cerca de 300 famílias, o equivalente a 1.200 pessoas.

Darci colocou os pés na fazenda por volta das quatro e meia da madrugada. No banco traseiro do fusquinha havia um colchão e uma sacola de roupas. O jovem líder do MST caminhou um pouco e, minutos depois, já com a ajuda dos primeiros raios de sol, pôde ver que muitas das 1.500 famílias haviam erguido seus barracos de lona preta.

A invasão em massa virou notícia em todo o país. Tanto é que, no fim daquele mesmo dia, após reunião no acampamento com representantes do governo do estado, Darci seguiu de carro para Porto Alegre, de onde embarcou de avião para Brasília.

Pioneiros do MST

BARRACO DOS PIÁS

Nos três dias seguintes, participou de longos e improdutivos encontros com o comando do Instituto Nacional de Colonização e Reforma Agrária (Incra), autarquia federal.

***

A desapropriação da Annoni não saía e, para pressionar o governo do estado e chamar a atenção do governo de José Sarney, a Pastoral da Terra e o MST decidiram organizar, em maio de 1986, uma marcha de 350 quilômetros entre o acampamento da Annoni e Porto Alegre.

A marcha recebeu o nome de Romaria Conquistadora da Terra Prometida, comprovando a forte influência da Igreja, em especial da Pastoral da Terra, sobre a organização dos sem-terra.

Darci não gostou dessa história de "romaria" e de "terra prometida", mas teve de aceitá-la.

Durante o dia, acompanhava a andança dos sem-terra e participava de reuniões na estrada. À noite, retornava ao acampamento da Annoni. Nesse vaivém, ele se questionava: seria aquela marcha um movimento de evangelização rural ou um movimento de luta pela terra?

A dúvida de Darci aumentou um dia antes da chegada dos sem-terra a Porto Alegre. Em Canoas, ponto da última parada para descanso, uma reunião entre os organizadores da caminhada definiria a estratégia a ser adotada assim que a marcha entrasse pelas ruas da capital gaúcha.

Em conversa à beira da estrada, Darci e outros líderes do MST defenderam que os sem-terra seguissem direto para a sede regional do Incra. Eles pretendiam invadir o prédio da autarquia e esticar na sacada uma faixa com os dizeres "Fechado para balanço".

Pioneiros do MST

A Igreja se opôs à idéia.

O padre Arnildo Fritzen, um dos organizadores da caminhada e um importante colaborador na fase de "gestação" do movimento, argumentou que todo o apoio conquistado durante a marcha seria jogado no lixo diante de uma invasão à sede do órgão. Sugeriu então um ato simbólico: que todos os sem-terra se concentrassem e depois se deitassem numa praça na frente da Assembléia Legislativa do Rio Grande do Sul.

Venceu a tese do padre, e Darci, mesmo revoltado com aquele gesto de extrema humildade, também se deitou na praça. Sentiu-se ali usado como massa de manobra da Igreja.

Terminado o ato na praça, os sem-terra montaram acampamento dentro da Assembléia, onde permaneceram nos três meses seguintes. Ouviram promessas e mais promessas, até que a decisão de partir teve de ser tomada.

Dessa vez, numa clara e firme posição de autonomia dos sem-terra diante da Igreja, vista anos depois como um divisor de águas na relação entre a Igreja e o MST, a idéia do padre Arnildo foi derrotada. O religioso queria levar seu rebanho a pé para Brasília, mas viu os sem-terra fazerem meia-volta e retornarem à Annoni.

A distribuição oficial dos lotes da Annoni só ocorreu em 1993 e, nos anos seguintes, os assentados puderam trabalhar numa primeira colheita, quase dez anos após a invasão da área. Até então, plantavam-se mandioca, batata e soja apenas para a subsistência das famílias ali acampadas.

***

Desde a madrugada de 29 de outubro de 1985, Darci nunca se mudou da Annoni. Vive lá até hoje, com a mulher e os filhos. Em homenagem

Pioneiros do MST

à mãe, descendente de índios, escolheu os nomes dos filhos: Magnus Potiguar, Bruna Maias e Igor Cauã. A mulher, Lorene, 17 anos mais nova, é filha de um antigo acampado da Annoni.

Quando desapropriada, a Annoni foi dividida em diferentes assentamentos. A casa de Darci está no Projeto 16 de Março, a 7 quilômetros da rodovia que leva a Pontão e, depois, a Passo Fundo. Os lotes da Annoni estão por toda a margem da estrada de terra que liga o assentamento de Darci e o asfalto da rodovia.

No 16 de Março, oficialmente chamado pelo governo de Projeto de Assentamento Encruzilhada Natalino Fase IV, foram assentadas 82 famílias, pouco mais da metade delas ligada ao MST.

No assentamento há um ginásio de esportes e uma escola estadual de quinta à oitava séries. Um ônibus cedido pela prefeitura passa de lote em lote, recolhendo e depois levando de volta os alunos.

Entre o ginásio e a escola há uma placa com o nome dos 32 municípios dos quais partiram as famílias para a invasão da Annoni. No antigo acampamento, os nomes desses mesmos municípios estavam identificados numa cruz.

***

Darci conseguiu concluir sua casa no início de 2007. "Isto aqui é um paraíso", não se cansa de repetir, principalmente quando se lembra dos dez anos que passou debaixo de um barraco de lona à espera da desapropriação da área e da divisão dos lotes.

A casa da família tem cinco quartos, dois banheiros, sala e cozinha. Aos poucos a madeira foi sendo substituída pelos tijolos, graças a um convênio dos assentados com a Caixa Econômica Federal.

A família de Darci é do MST e vive num assentamento de reforma agrária, mas muitos dos hábitos ali são semelhantes aos de quem vive na cidade. Pela manhã, Igor, de 6 anos, faz charme para ir à escola. Tanto faz que, às vezes, convence os pais a deixá-lo em casa dormindo.

À noite é a vez de Bruna, de 8 anos. Ela ignora um a um os pedidos da mãe de ir para a cama antes do fim da novela. Magnus, com 16 anos, mesmo sabendo que no dia seguinte tem de amanhecer de botas no meio do gado, prefere esticar as pernas no sofá e assistir ao filme da noite.

Na casa de Darci, ninguém entra com o calçado usado no assentamento. Ao chegar da escola, do trabalho ou da casa do vizinho, a regra é deixar os tênis sujos do lado de fora e colocar os chinelos, deixados ao lado da porta da cozinha.

Num dos quartos, os filhos de Darci se revezam para usar o computador. Na cozinha, um fogão a lenha tem duas utilidades extras: aquece o ambiente e acende os cigarros que Darci não pára de fumar. No trajeto entre a cozinha e a sala, do lado direito alto da parede, estão as bandeiras do MST e do líder revolucionário Che Guevara.

Pioneiros do MST

Ao lado da casa, Darci construiu uma pequena garagem, com paredes de tijolos furados e coberta com telhas de PVC. Lá, além do Gol preto 2004 e de um punhado de pares de chinelos e sandálias, Darci guarda um pouco de sua história.

Empilhados e empoeirados numa prateleira, dezenas de cadernos e agendas com anotações a caneta contam detalhes de cada reunião de que participou na comissão dos sem-terra de Três Passos, nas direções estadual e nacional do MST, no acampamento da Annoni e na cooperativa.

***

No acampamento da Annoni, Darci viveu sob uma mesma lona preta ao lado de sete amigos, à época todos solteiros.

O barraco dos "piás", como os meninos são chamados no Sul, era o centro nervoso do acampamento, onde ocorriam as reuniões do movimento, onde militantes vindos de outros estados ficavam alojados e onde, a qualquer hora do dia ou da noite, acampados pediam auxílio – de remédios a orientação jurídica.

Daquele grupo de oito amigos, seis integram hoje uma cooperativa de produção tocada por 12 famílias do Projeto de Assentamento 16 de Março, entre as quais a de Darci.

Criada em 1990, a sociedade leva o nome de Cooperativa de Produção Agropecuária Cascata Ltda., a Cooptar. É assim chamada por conta de uma pequena queda-d'água localizada na Annoni.

Do grupo dos piás remanescentes, estão ainda na cooperativa Isaías Vedovatto e Mário Lill.

Isaías foi o primeiro sem-terra a entrar na Annoni. Seu alicate mordeu a cerca da fazenda na madrugada de 29 de outubro de 1985. Já Lill ganhou fama internacional em 2002, quando, com uma bandeira do MST, ficou preso em Ramallah, no complexo presidencial palestino onde Yasser Arafat se encontrava confinado pelo exército de Israel.

***

Na Cooptar está em pleno funcionamento um modelo de sociedade que Darci sonhou desde os tempos em que começou a ler os primeiros livros sobre socialismo.

Mesmo com os conflitos inerentes a um modelo coletivo, está ali implantado algo que idealizou com os amigos debaixo do "barraco dos piás", inspirado nas cooperativas de produção agropecuária de Cuba e na experiência do assentamento Nova Ronda Alta, área adquirida em 1982 pela Conferência Nacional dos Bispos do Brasil (CNBB) e pela Igreja Luterana para acomodar algumas famílias do acampamento da Encruzilhada Natalino.

Pioneiros do MST

***

No rol de 12 famílias da Cooptar tudo é dividido em partes iguais, tanto o trabalho como os lucros da produção.

Homens e mulheres fazem rodízio em todas as atividades da cooperativa. O valor da hora trabalhada no frigorífico, no abate do gado, na retirada de leite e na fabricação de salame é o mesmo ganho por aqueles que passam o dia num galpão, cuidando dos filhos dos assentados. O mesmo vale para os que atuam na lavoura ou no escritório da cooperativa. No fim do mês, soma-se o total arrecadado e distribui-se o valor de acordo com as horas trabalhadas de cada um.

O assentado que trabalhou 250 horas com o gado leiteiro receberá exatamente o mesmo que a assentada que ficou 250 horas cuidando das crianças.

Na Cooptar não há empregados. Tudo é feito pelas 12 famílias assentadas, num total de 45 pessoas. A partir dos 14 anos os adolescentes já ajudam no trabalho e recebem salário.

A área da Cooptar é a soma dos cerca de 10 hectares dessas 12 famílias. Há dois tratores, um caminhão e 170 cabeças de gado, além de plantações de soja, milho e trigo. Por mês, a produção média de leite é de 18 mil litros, com picos de 30 mil litros.

A prioridade pelo gado, tanto de corte como de leite, é uma forma que a cooperativa socialista encontrou para escapar da contradição da soja: a plantação de soja orgânica não prosperou e, para investir na convencional, teriam de se render ao adubo químico, abominado pelo comando do MST.

Na Cooptar, todos são MST por inteiro.

Pioneiros do MST

Um acordo entre os cooperados oferece ao movimento 10% de sua força de trabalho. Ou seja, entre as 12 famílias, sempre há duas ou três pessoas cedidas para atuar no MST.

Darci, no momento, é um desses "liberados" para o movimento.

Ele passa os dias à disposição do MST, mas, no fim do mês, recebe o salário do caixa da própria Cooptar. O valor é pago de acordo com a média de horas trabalhadas naquele mês pelos homens da cooperativa.

Por opção do MST, Darci atua como coordenador administrativo de uma cooperativa de crédito ligada ao movimento, o Sistema Crehnor de Cooperativas de Crédito, rede que atua nos três estados do Sul (Rio Grande do Sul, Santa Catarina e Paraná).

A sede fica em Sarandi, município vizinho a Pontão. Lá, entre outros serviços, Darci todos os dias analisa balanços, avalia índices de inadimplência e examina o cumprimento das regras do Banco Central.

***

Sentado atrás de uma mesa de escritório, o Darci de hoje pouco lembra aquele sujeito de pavio curto das décadas de 1980 e 1990.

O mesmo Darci, burocrata de uma cooperativa de crédito, se recorda com lágrimas de um dos momentos mais tensos vividos por ele como líder dos sem-terra. Foi quando, em nome do movimento e contra todo o seu instinto impulsivo, optou pela razão para evitar uma tragédia.

O ano é 1989.

Darci, acampado da Annoni, mantém seu papel de coordenador do MST. No Rio Grande do Sul, é reconhecido como um dos principais líderes dos sem-terra, reflexo do acumulado nos quatro anos da Annoni.

Em março, é escalado pelo MST para articular e, depois, atuar como porta-voz da invasão da fazenda Santa Elmira, em Salto do Jacuí, no

centro do estado. Acostumado a atuar no *front*, Darci aceita esse papel, mesmo considerando-o burocrático.

A invasão está marcada para o dia 9.

Um dia antes, Darci tem a tarefa de orquestrar um blecaute em todas as fazendas da região. No momento da invasão, as fazendas precisam estar às escuras, para facilitar a movimentação dos sem-terra e atrasar a chegada da polícia. "Era pra deixar a fazendeirada sem reação", recorda.

Darci escala dois sem-terra para cortar a eletricidade. Diz que, em primeiro lugar, eles precisam comprar um gancho comprido o suficiente para alcançar a chave geral de energia no alto de um determinado poste. A segunda tarefa é, no fim da noite, se posicionar discretamente nas proximidades do poste e somente agir diante do sinal verde de Darci, que estaria nos arredores com o seu fusquinha branco equipado com um rádio.

No dia seguinte, após a invasão de 500 famílias, Darci acompanha do lado de fora a movimentação da polícia. O cerco à fazenda impede a entrada de outros sem-terra.

Darci fica ainda mais apreensivo, e de mãos atadas, ao ver uma dúzia de ambulâncias estacionar nas proximidades da área. É o sinal de um confronto iminente. Do fusquinha, ele acompanha o avanço das forças oficiais ao vivo, pelas rádios locais.

No dia 11 a polícia invade a fazenda. Expulsa na marra os sem-terra e deixa um saldo de 22 colonos presos e cerca de 400 feridos, sendo 19 deles à bala. Darci percorre hospitais da região em busca de informações sobre as vítimas. Muitos sem-terra estão desaparecidos ou perdidos das famílias.

Pioneiros do MST

No dia seguinte ao conflito, logo no início da manhã, Darci estaciona o fusquinha no acampamento para o qual seguiram as famílias despejadas da Santa Elmira.

O clima é tenso.

Muitos dos cerca de 2 mil sem-terra ainda não conseguiram localizar familiares e amigos feridos na ação policial. Outros carregam no corpo as marcas do despejo de horas antes.

Em meio a esse vaivém de pessoas, Darci percebe a chegada de dois homens numa Veraneio. Lentamente, o veículo estaciona no meio do acampamento e logo é cercado por dezenas de sem-terra. Com uma câmera de vídeo nas mãos, sem sair do carro, o homem que está sentado no banco de passageiros se identifica como jornalista.

O disfarce dura pouco. Um dos sem-terra, ao olhar com mais atenção para os fundos do veículo, enxerga um par de colchonetes com as cores do exército. A câmera é imediatamente tomada das mãos do militar, supostamente do serviço de inteligência da força.

Motorista e passageiro agem rápido. Fecham os vidros, trancam as portas. Cercados pelos sem-terra, não conseguem arrancar com a Veraneio.

Darci percebe que a situação está quase fora de controle. Os sem-terra chacoalham o veículo e gritam palavras de ordem para tombar e atear fogo na Veraneio. Apavorados e sem reação, os militares permanecem imóveis.

Darci tem pouco tempo para pensar. Precisa tomar uma decisão em segundos. Ele está ali como o representante oficial dos sem-terra. Não pode se omitir ou lavar as mãos.

O agricultor de pavio curto de Três Passos e diretor nacional do MST ainda não tem uma resposta, mas toma uma primeira e rápida decisão:

com a ajuda de alguns sem-terra, sobe no teto da Veraneio para coordenar uma assembléia improvisada diante de um grupo de sem-terra espumando por vingança.

De cima do carro, ele e outros três companheiros do MST tentam acalmar os ânimos dos colonos. O número de sem-terra ao redor do carro não pára de crescer, e os líderes daquela espécie de assembléia precisam ser convincentes.

De dentro da Veraneio, os dois militares escutam Darci dizer aos gritos que, se aqueles homens fossem queimados vivos, os sem-terra rapidamente perderiam o papel de vítimas do dia anterior.

Uma ação de vingança, argumenta, seria um prato cheio e a desculpa necessária para os governos estadual e federal alegarem que o despejo do dia anterior tinha sido uma medida acertada.

— Esse tipo de atitude não vai ajudar a gente a ganhar a terra — grita Darci.

Minutos depois, com alguns sem-terra ainda contrariados, consegue escoltar a Veraneio até a saída do acampamento.

***

Passados 18 anos, Darci se emociona, mas parece confuso ao tentar explicar a atitude de livrar os militares diante da sede de vingança daqueles sem-terra:

— É o tipo de papel que tem que fazer contra a sua própria vontade. Num momento como esse é muito mais confortável ser povo do que ter a responsabilidade de direção.

Pioneiros do MST

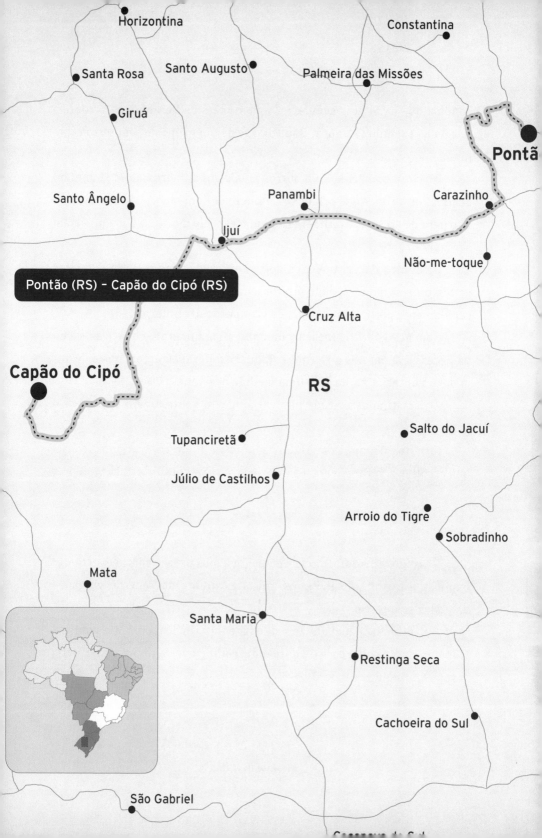

Tralhas

"Eu sinceramente contesto isso [Bolsa Família para assentados]. Acho que a gente não deve estar pegando essas migalhas. Tem que produzir, temos condições para produzir. É um programa totalmente assistencialista."

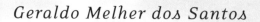
Geraldo Melher dos Santos

A inda no Rio Grande do Sul, a próxima parada é no também minúsculo Capão do Cipó, na região das Missões. São 3.500 habitantes, sendo 800 deles assentados da reforma agrária.

O expediente da prefeitura vai até as duas da tarde. Todos os funcionários entram às oito da manhã e saem juntos seis horas depois. No gabinete do prefeito o que mais se ouve são pedidos para que o trator do município possa ser usado no reboque de caminhões atolados na região.

A zona urbana de Capão do Cipó se resume a uma avenida, toda ela repleta de "barrigas de prefeito", como os quebra-molas são conhecidos. O restante é zona rural, com assentamentos e vastas extensões de soja e de pasto.

De Pontão a Capão do Cipó foram 310 quilômetros. Lá, no assentamento Nova Santiago, está Geraldo Melher dos Santos, 51 anos. Da prefeitura ao lote de Geraldo são 10 quilômetros, numa estrada de terra bem trafegável em tempos de seca.

Três-passense, Geraldo é conterrâneo de Darci. Nasceu e foi criado com dez irmãos numa pequena comunidade. O pai, um agricultor nascido na roça. A mãe, filha de uma brasileira e de um sueco, de quem Geraldo herdou o sobrenome Melher.

Aos 16 anos, quando finalizou a quinta série, Geraldo decidiu sair de casa. Dias antes, num encontro de jovens na comunidade, havia se empolgado com as palavras de um religioso sobre as atividades de um seminário franciscano. Não pensou duas vezes. Arrumou as malas e disse até logo aos pais.

O sonho de ser padre, porém, durou pouco.

No fim do primeiro ano de curso, foi aconselhado pelos padres a voltar para casa. Os hábitos de mulherengo e o pouco apego aos livros pesaram contra Geraldo.

De volta à propriedade dos pais, numa comunidade ainda sem água tratada e energia elétrica, Geraldo retomou o trabalho na lavoura, mas se manteve displicente com os estudos. Ignorava os conselhos do pai para se dedicar ao colégio. Recomeçou, mas logo largou a sexta série, na qual havia sido reprovado no seminário.

Nos tempos de escola, Geraldo mal conseguia enxergar o que era escrito no quadro-negro pela professora. Sentia fortes dores de cabeça, tanto na sala de aula como em casa, ao tentar fazer a lição na mesa da cozinha mal iluminada pelo candeeiro.

O motivo daquelas sensações estranhas ele descobriu ao fazer o exame para o alistamento militar. Então com 18 anos, ouviu de um médico do exército que, por conta da miopia, estava obrigado a usar óculos com lentes de pelo menos seis graus.

***

Os 12 meses passados no seminário deram a Geraldo uma visão política que até então ele desconhecia. Aprendeu e leu bastante sobre os direitos dos trabalhadores rurais.

Pioneiros do MST

De volta a Três Passos, dedicou-se às atividades da comunidade e da Pastoral da Juventude, outro braço da Igreja Católica. Entre os colegas, era o mais articulado, tanto pela formação acumulada no seminário como também pela atuação de seu pai na Pastoral da Terra e no sindicato.

Em 7 de setembro de 1979, por exemplo, Geraldo acompanhou de casa o trabalho de assessoria prestado pelo pai na invasão, por 110 famílias, da fazenda Macali, ação vitoriosa em uma área pública do estado e um dos pontos de partida para a criação do MST.

A atuação de Geraldo na Pastoral da Juventude ocorreu até o outono de 1983, quando recebeu pessoalmente o convite de Darci Maschio e de um outro amigo para ajudá-los na articulação dos sem-terra de Três Passos e dos municípios da região.

Das mãos dos colegas, naquele primeiro contato, recebeu panfletos da CPT e um exemplar de um livrinho do Estatuto da Terra. A partir dali, estava recrutado pela Pastoral da Terra.

Casado com Eloni havia três anos, mas ainda vivendo no mesmo lote dos pais, Geraldo mudou a rotina. Começou a participar de seguidos encontros de organização de lavradores, ainda sem a idéia clara da criação de um movimento nacional de trabalhadores rurais.

O objetivo mais próximo era a formação de uma comissão municipal dos sem-terra, com a participação de meeiros, arrendatários e parceiros, o que de fato ocorreria ao fim daquele ano.

A formalização da comissão era justamente o que Geraldo e os demais líderes dos sem-terra da região precisavam para agendar uma audiência com o então governador do estado, Jair Soares. Viajaram para Porto Alegre, pediram terra e ouviram como resposta que reforma agrária era coisa de comunista, e que o Rio Grande do Sul não possuía terras disponíveis para eles.

Pioneiros do MST

De volta à região Celeiro do Estado, os jovens líderes três-passenses decidiram reagir à afirmação do governador. Com a ajuda da mulher, Geraldo se vestiu com a melhor roupa que tinha em casa e percorreu, uma a uma, as imobiliárias da região.

Bem-vestido, de óculos e com os cabelos penteados, Geraldo passou-se por um produtor endinheirado e com interesse na compra de novas fazendas.

Após algumas semanas, conseguiu levantar uma lista com dezenas de terras à venda na região. O documento estava bem detalhado, com o nome, o tamanho e o valor de cada uma das propriedades.

Outra audiência foi marcada em Porto Alegre, dessa vez com o secretário estadual da Agricultura, João Jardim, que por pouco não

Pioneiros do MST

rasgou a tal lista, assim que percebeu o tom provocativo dos sem-terra de Três Passos.

***

Os relatos sobre os seguidos embates com a cúpula do governo gaúcho fizeram muitos sem-terra desistirem da organização. Meio sem rumo, temendo a desarticulação dos núcleos municipais, Geraldo e outros líderes locais procuraram a Pastoral da Terra. Sem meias palavras, ouviram de padres e assessores da entidade que não haveria outro jeito, a não ser a ocupação de terras.

A ordem, a partir daquele momento, era convencer os colonos da região a encarar uma ocupação de terra, deixando sempre claro a todos os riscos de uma ação nesses moldes.

Em outros estados, recentes invasões haviam terminado em violentos despejos policiais. De porta em porta, de reunião em reunião, Geraldo citava o caso da Encruzilhada Natalino como uma forma de estimular as famílias de colonos.

Em agosto de 1984, Geraldo estava convencido de que as conversas com os sem-terra haviam surtido efeito. Afirmava aos demais líderes locais que pelo menos 100 famílias haviam se comprometido a participar de uma primeira ocupação de terra.

Animados, agendaram para o dia 28 a invasão de uma área improdutiva do governo do estado, no município de Santo Augusto, a cerca de 120 quilômetros de Três Passos.

Com a mulher e a filha Cláudia, de um ano e meio, Geraldo foi um dos primeiros a chegar ao local marcado para a saída dos caminhões.

Pioneiros do MST

Estava determinado a encarar uma ocupação de terra, mas a cabeça dele ainda estava no momento em que se despediu dos pais.

Enquanto separava as roupas, acomodava a chapa do fogão e juntava o martelo, o facão, o machado e a foice, Geraldo ouviu primeiro um pedido do pai:

— Meu filho, não quero ver vocês saírem.

O ex-seminarista continuou arrumando as tralhas, para depois ouvir os apelos da mãe, que chorava sem parar.

— Não vão, aqui tem espaço pra vocês plantarem.

No local marcado para o encontro dos sem-terra, Geraldo sacudiu a cabeça e tentou se concentrar na organização das famílias. Já eram onze da noite. Na carroceria vermelha do caminhão, Geraldo contou dez famílias, enquanto ele, a mulher Eloni e a filha Cláudia se acomodaram na boléia. Ao lado, o motorista daquele Mercedes-Benz se apavorou ao perceber que não se tratava de uma simples "mudança", como acertado no frete.

De outros pontos de Três Passos e de comunidades de municípios vizinhos partiram outros caminhões, nem todos cheios como o organizado por Geraldo.

Sem resistência, a área de 400 hectares foi invadida por volta das duas horas da manhã. Ao nascer do sol, depois de uma madrugada gelada em claro, Geraldo caminhou atento por todo o acampamento. Uma rápida contagem apontou 49 famílias, menos da metade da expectativa inicial.

No acampamento, cada família tinha uma quantidade de alimentos suficiente para pelo menos três meses. Essa tinha sido a orientação de Geraldo. Acreditava, como ocorre até hoje no movimento, que antes desse prazo ninguém iria voltar para casa.

Pioneiros do MST

De novo a expectativa do jovem líder dos sem-terra estava errada. Ao fim daquela manhã, a polícia cercou a fazenda, e o comandante da tropa reuniu os líderes do acampamento para uma conversa.

O militar falou mal do governo do estado, disse ter saudades da gestão de Leonel Brizola e que entendia todo o sofrimento daquelas famílias. Confiantes no papo do policial, Geraldo e outros companheiros abriram a guarda. Disseram que não estavam ali para confusão, relataram a origem de cada uma das famílias e admitiram que não havia nenhuma arma de fogo no meio de seus poucos pertences.

O comandante da tropa agradeceu o bate-papo e logo saiu do acampamento. No início da noite ele voltou, dessa vez com pelo menos duas centenas de policiais, todos cientes da incapacidade de reação dos sem-terra.

O despejo ocorreu imediatamente.

As mulheres ainda arriscaram uma resistência. Na linha de frente, protegendo os homens e as crianças, lançaram água quente em direção aos policiais. Alguns deles tiveram os rostos queimados. Os demais romperam a barreira feminina, destruíram os barracos e jogaram as tralhas nos caminhões, que levaram os sem-terra de volta para as suas comunidades.

Geraldo perdeu quase tudo o que tinha levado para o acampamento, menos o martelo.

De volta para casa, no dia seguinte, Geraldo viu o pai arregaçar as mangas e cobrar ânimo aos despejados. Em três dias, jovens líderes do MST e antigos colaboradores da Pastoral da Terra, como o pai de Geraldo, reuniram 120 famílias.

Em Erval Seco, município colado a Três Passos, ergueram um acampamento numa área emprestada por um político simpatizante do movimento. Aquele aglomerado de sem-terra ficou conhecido como o acampamento Estrada da Fortaleza, nome de um pequeno rio que corta a região.

Como acampado de Erval Seco, Geraldo viajou para Curitiba em janeiro de 1985. Lá, ao lado do amigo Darci Maschio, foi eleito representante do Rio Grande do Sul na primeira direção nacional do Movimento dos Trabalhadores Rurais Sem Terra.

***

Com o ânimo renovado, Geraldo retornou ao Estrada da Fortaleza. No acampamento, a avaliação dos líderes do MST era que mais uma cartada deveria ser planejada para forçar o governo do estado a assentá-los em alguma área da região.

Uma assembléia foi organizada. Nela, decidiu-se por uma greve de fome em Porto Alegre, dentro da Assembléia Legislativa. Na mesma reunião, Geraldo e outros dois sem-terra se prontificaram a participar do jejum, marcado para março de 1985, em plena Semana Santa.

Pioneiros do MST

Ao se escalar como voluntário, Geraldo sabia que não poderia se omitir num momento como aquele. Não estava ali apenas como um trabalhador acampado, e sim como integrante da direção nacional de um novo movimento dos sem-terra.

Antes de seguir para a capital, Geraldo passou por um período de adaptação, seguindo orientação de padres conhecidos, da Pastoral da Terra. Por três dias, bebeu muita água, muito leite e comeu bastante verdura. Precisava estar forte para agüentar sabe-se lá quantos dias sem comer.

O jejum não durou mais do que 70 horas.

No fim do terceiro dia, sentindo tonturas e deitado num colchão no saguão de entrada da Assembléia, Geraldo ouviu a notícia de que a comissão dos sem-terra e o governo gaúcho haviam fechado um acordo para assentar as 120 famílias em duas áreas do estado. Logo no mês seguinte Geraldo estava em seu lote, no assentamento Santo Isidro, no próprio município de Erval Seco.

Geraldo ficou apenas cinco anos lá.

Nesse meio tempo, em 1988, foi candidato a prefeito de Erval Seco pelo Partido dos Trabalhadores. Ficou em último lugar, com apenas 5% dos votos. Dois anos depois, em agosto de 1990, surgiu a oportunidade de trocar de lote com um assentado de Santiago, infeliz na região gaúcha das Missões.

Mudou-se, com a mulher e as filhas, Cláudia e Andréia, a primeira com 7 e a segunda com 4 anos de idade, para o assentamento Nova Santiago, criado três anos antes por um grupo de famílias oriundas da Annoni.

Em Erval Seco, Geraldo deixou um lote de 9 hectares, uma casa de madeira com água da fonte e energia elétrica, uma boa roça de subsistência e gado suficiente para produzir e comercializar leite.

Pioneiros do MST

Em Santiago, a área do lote era maior, com 22 hectares. Tinha ainda a vantagem de ter trocado uma terra pedregosa por uma mais fértil e mais nivelada.

Terra boa, mas estrutura precária. A água tinha de ser buscada de balde num poço artesiano. Não havia energia elétrica. Geraldo, Eloni, Cláudia e Andréia tiveram de retroceder ao candeeiro e ao lampião a gás. Mercado e posto de saúde apenas no centro de Santiago. Do lote até lá eram 60 quilômetros. Em tempos de seca, gastava-se uma hora e meia numa precária estrada de terra. Em tempos de chuva, simplesmente não se chegava.

***

Geraldo chegou empolgado à nova terra, mas logo foi engolido pelo vício da militância. O lote dele estava ali, mas o líder sem-terra mal parava em casa. Estava sempre em viagens do MST. Cada saída significava pelo menos uma semana longe da família e distância do trabalho na lavoura.

Líder nacional do MST, Geraldo tinha um lote absolutamente improdutivo. Viajava pelo Brasil divulgando a teoria de produção e a organização do movimento, enquanto a sua prática era um desastre. Os 22 hectares de terra estavam cobertos de capoeira, um tipo de vegetação duro de ser arrancado. O pouco de milho e de feijão plantados havia acabado. Duas vacas soltas no lote garantiam pelo menos o leite das duas meninas.

O local onde Geraldo, a mulher e as filhas dormiam não poderia ser chamado de uma casa convencional. Era um galpãozinho de madeira, parte

Pioneiros do MST

assoalhada e parte de chão. À noite, a família ficava junta num canto, protegendo-se do frio; outro canto era reservado a um amontoado de milho.

Enquanto isso, Eloni via as condições mais favoráveis das demais famílias do assentamento e enxergava também a dominação do marido pelas atividades do movimento. A compreensão dela com aquela rotina estava no limite. Mal conseguia alimentar as filhas. Roupas novas nem pensar.

Um dia ela estourou. Longe das crianças, chamou Geraldo para uma conversa e colocou as cartas na mesa:

— Se continuar assim, eu vou dar outro jeito. Largue um pouco a luta, se defina, senão vou tomar o meu rumo.

O recado da mulher foi duro, mas Geraldo não desistiu das atividades do movimento. Dias antes ele tinha ouvido um conselho de uma amiga petista:

— Só de amor à camisa a gente não vive.

O próprio Geraldo sabia que somente algo mais radical poderia fazê-lo largar aquele vício.

Foi então que, no fim de 1992, a coordenação estadual do MST decidiu agir. Incluiu a situação do "improdutivo" Geraldo na pauta de uma reunião marcada para Palmeiras das Missões.

Geraldo chegou ao encontro ciente do que seria tratado, e logo passou a ouvir que qualquer coordenador do movimento precisa, antes de distribuir ordens e sugestões, provar aos demais militantes que também possui capacidade de produção.

Na reunião, os líderes sem-terra deixaram claro a Geraldo que ele precisava dar uma reviravolta em sua vida, ficar mais próximo da família e demonstrar, na prática, a capacidade de trabalho e de lidar com a terra.

Decidiu-se que outros representantes do MST seriam remanejados para a região de Santiago para desafogar Geraldo de suas tarefas, enquanto ele voltaria ao lote, sem prazo para retomar as atividades na coordenação dos sem-terra.

Geraldo voltou para casa, anunciou a novidade imposta pelo movimento e tratou de se dedicar ao lote. Em um ano, terminou uma nova casa, também de madeira, mais ampla e confortável.

A vida da família mantinha-se humilde, mas Geraldo conseguiu ampliar o número de vacas, colocou alguns porcos no quintal e deu um jeito na horta e na plantação de milho. Em 1996, a energia elétrica chegou ao assentamento, nove anos depois de criado.

Sem o ritmo de antes, Geraldo retomou aos poucos as atividades no MST. Desde então, trabalha na terra até que algum companheiro toque a buzina na porteira do lote e o chame para reuniões pelo estado afora.

O lote não virou exemplo de farta produção, mas pelo menos deu tranqüilidade a Eloni. A filha mais nova, Andréia, aos 21 anos, é assentada no município de Itacurubi, próximo a Capão do Cipó.

Já Cláudia, aos 24 anos, casada, mãe de um menino e com outro na barriga, vive numa casinha de madeira dentro do mesmo lote dos pais. Para desgosto de Geraldo, ela é beneficiária do programa federal de transferência de renda, o Bolsa Família.

"Eu sinceramente contesto isso. Acho que a gente não deve estar pegando essas migalhas. Tem que produzir, temos condições para produzir. É um programa totalmente assistencialista", desabafa Geraldo, que, além do leite e de alguns porcos e galinhas espalhados pela terra, garante a subsistência da família plantando milho, feijão, arroz, abóbora, batata-doce, mandioca e verduras.

Carro-chefe da área social do governo do presidente Luiz Inácio Lula da Silva, o Bolsa Família transformou-se num perigo de desmobilização para o MST.

Os lavradores sem terra e os demais desempregados com potencial para integrar o movimento, inflar acampamentos e realizar ocupações de terra se sentem compensados com a transferência de renda e, ao mesmo tempo, desestimulados a viver debaixo de um barraco de lona à espera de um assentamento. Geraldo, nas andanças pelo estado, encontra essa realidade.

***

Se a buzina não toca, a rotina de Geraldo é a mesma. Acorda pouco antes das seis horas, coloca a água para esquentar num fogão a lenha e somente acorda a mulher depois que o chimarrão já está pronto na cuia.

Geraldo beberica calmamente seu mate. Em seguida, vem o café-da-manhã. Ele não sai de casa antes de devorar um prato cheio de arroz e feijão, uma fatia de pão e uma xícara de leite.

Antes das sete horas, Geraldo e Eloni estão no pasto do lote. Recolhem as 16 vacas do curral e tiram o leite. No fim da tarde, mais uma vez apertam as tetas das vacas.

A cada mês a família tira cerca de 900 litros de leite, que entrega a uma cooperativa do município.

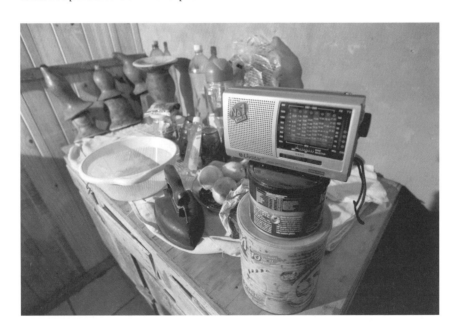

De segunda a quinta, o dia de trabalho de Geraldo na roça não pode acabar depois das cinco da tarde. É nesse horário que corre para tomar um banho na casa de alvenaria que acabou de construir com a ajuda de um crédito federal.

Geraldo sai de casa pouco antes das seis da tarde e caminha 2,5 quilômetros por uma estrada de terra. Chega quase sempre em cima da hora à escola, na praça central do assentamento.

Lá, seguindo uma das três obsessões-chave do MST, Geraldo tenta derrubar a cerca da ignorância. No movimento, busca-se também a destruição do capital e, mais claramente, do latifúndio.

A escola estadual leva o nome de Roseli Correa da Silva, acampada da Annoni atropelada e morta em uma marcha entre Sarandi e Carazinho, em março de 1987. O acidente, causado por um caminhão que furou a barricada dos sem-terra e se chocou com três tratores, deixou dez feridos e outros dois mortos: Vitalino Mori e Lori Grosselli.

＊

Com uma bandeira do MST logo na porta de entrada, a escola atende, durante o dia, filhos e netos de assentados. À noite, é a vez de jovens e adultos. Ao redor, uma igreja evangélica e outra católica, além de um moinho que será usado para moer o trigo e o milho produzidos pelos assentados.

De primeira à oitava séries, a escola é o centro de um dilema.

Os assentados ligados ao MST insistem em que a teoria pedagógica do movimento seja aplicada aos seus filhos e netos. Há, entretanto, pelo menos dois entraves: os professores da rede estadual

Pioneiros do MST

são formados e treinados num outro método, e os assentados sem ligação com o MST não querem saber das diretrizes pedagógicas do movimento.

Geraldo cursa a quinta série. Por conta do enxugamento do quadro de professores do estado, é obrigado a dividir a mesma sala de aula com colegas de sétima série.

Pioneiros do MST

Um único professor, de 28 anos de idade, tenta oferecer dois conteúdos num mesmo ambiente com 14 alunos. É difícil, principalmente para trabalhadores rurais que acordam antes do nascer do sol e passam o dia cuidando do gado e lidando com uma enxada.

Aplicados, os alunos cumprem um ritual: as aulas de matemática, inglês, história, português, geografia, ciências e educação artística são sempre acompanhadas com uma cuia de chimarrão. O professor fica responsável por esquentar a água.

A aula termina às nove da noite e, no escuro, Geraldo caminha os 2,5 quilômetros de volta ao lote. Precisa dormir cedo, pois no dia seguinte tem mais arroz e feijão no café-da-manhã, e mais leite para tirar e vender – isso se ninguém buzinar. "A organização é o principal tesouro que a gente tem", diz ele sobre o MST.

Pioneiros do MST

Campo e cozinha

" Fugi de mim mesma, porque [atuar no MST] era uma coisa que gostava de fazer. Também tenho certeza de que não dava pra continuar por causa das crianças. Mas hoje eu acho que faria diferente."

Santina Grasseli

E ntre a gaúcha Capão do Cipó e a sul-mato-grossense Mundo Novo são 891 quilômetros, cruzando o oeste dos estados de Santa Catarina e do Paraná.

Mundo Novo fica no pé de Mato Grosso do Sul, colado ao norte do Paraná e à fronteira com o Paraguai.

Na aproximação de carro ao município, a operadora de celular envia a mensagem de texto "Bem-vindo ao Paraguai". A região fronteiriça é também sinalizada por placas do exército: "Braço forte, mão amiga."

Aos 52 anos, lá está Santina Grasseli, uma das duas mulheres integrantes da primeira direção nacional do MST.

Ela é uma "quase" assentada no Projeto de Assentamento Pedro Ramalho. Já possui a chamada "autorização de posse" do lote, mas aguarda os primeiros créditos do governo federal para investir na produção de mandioca e na construção da sonhada casa de 6 por 8 metros, com direito a três quartos, varanda e churrasqueira.

O lote, chamado de "chácara" por Santina, tem 5 hectares e fica às margens da BR-163. De lá, à esquerda, são 12 quilômetros até o centro de Mundo Novo; à direita, 6 quilômetros até Guaíra, município no extremo norte paraense; e, aos fundos, 7 quilômetros até Salto de Guaíra, já no lado paraguaio.

Santina vive por enquanto numa casinha de madeira improvisada, onde, antes da desapropriação, no fim de 2002, moravam os antigos funcionários da fazenda. Entre a saída dos funcionários e a chegada de Santina, a pequena residência ficou nas mãos de alguns "brasiguaios", como são conhecidos na região os brasileiros que buscam trabalho em fazendas paraguaias.

Com dois quartos, pintada de azul por fora e de branco por dentro, a casinha para a qual se mudou no início de 2006 fica exatamente nos fundos do lote, colada à cerca de uma área de pesquisas da binacional Itaipu.

Santina ganhou o lote graças à influência do irmão sindicalista no comando regional do Incra. "Meu irmão foi presidente do Sindicato dos Trabalhadores Rurais de Mundo Novo e indicou o meu nome ao Incra", diz, toda orgulhosa.

Desde que colocou os pés no lote, Santina não perdeu tempo. Já lucrou com uma primeira colheita de milho e de mandioca, e organiza com carinho o pomar e a horta no centro do terreno, ao lado de um isolado coqueiro.

Ela paga 30 reais à prefeitura por hora de uso do trator e vende toda a sua produção de mandioca a uma fábrica de farinha de Mundo Novo. "O que a gente consegue produzir eles compram", relata a ex-dirigente nacional do MST.

O trabalho na terra ajuda Santina a manter uma atividade física, um pedido do médico para controlar a disritmia cardíaca. Todos os dias a recém-assentada é obrigada a ingerir oito comprimidos: seis para controlar os picos de pressão, e dois para equilibrar o ritmo das batidas do coração, deformado e inchado por conta da pressão alta que a aflige há 30 anos.

**

A vida de Santina tem sido como a de um caixeiro-viajante. Nasceu no norte do Rio Grande do Sul, no município de Nonoai. Por lá ficou até pouco antes de completar 7 anos. O pai decidiu se desfazer da área depois que viu uma irmã cometer suicídio dentro da propriedade. Traumatizada pela tragédia, toda a família seguiu para o município de Ronda Alta, onde o pai acabou contemplado com um pedaço de terra na desapropriação da fazenda Castelhano.

Em Ronda Alta, Santina conseguiu estudar somente até a quinta série. Não havia transporte escolar, e o colégio de sexta série mais próximo ficava a 10 quilômetros do lote da família. Santina bem que tentou, mas não conseguiu convencer o pai a deixá-la viver em Nonoai com alguns familiares.

Pedido recusado, a menina teve de parar mesmo na quinta série, dedicando-se apenas a ajudar a família no plantio de milho e de feijão, na retirada de leite das vacas e na sofrida colheita de soja, na época feita com as mãos.

Longe de livros e cadernos, Santina se casou aos 16 anos com um colega agricultor. No casamento, graças a uma trapalhada do cartório da cidade, os sobrenomes portugueses do pai e da mãe foram substituídos apenas pelo nome de família do marido. Santina Pragas Garcia virou Santina Grasseli.

Pioneiros do MST

Casada, ficou pouco tempo no Sul. Em 1974, em busca de terras mais baratas e extensas em Mato Grosso do Sul, mudou-se com os pais para Mundo Novo. Lá, com três filhos pequenos, separou-se quatro anos depois.

Até então, Santina não tinha nenhuma ligação com pastorais da Igreja Católica ou com sindicatos de trabalhadores rurais.

Na paróquia de Mundo Novo ela mantinha apenas o hábito de atuar como catequista ou simples auxiliar durante a reza do terço. Nada que a levasse a pensar nos direitos dos trabalhadores rurais ou no combate à pobreza. Santina era mais uma na Igreja.

Mas isso mudou em abril de 1984, quando aceitou o convite de amigos ligados à Comissão Pastoral da Terra para participar da ocupação da fazenda Santa Idalina, no município de Ivinhema.

Na madrugada do dia 29, Santina foi uma das cerca de 1.000 pessoas que, sob uma forte chuva, atravessaram o rio Guiraí para atingir a área da invasão.

Aquele alvoroço mexeu com Santina.

Nunca tinha visto o sobe-e-desce em caminhões, a euforia, a correria e as cantorias na entrada da fazenda, a montagem às pressas de barracos de lona e a precária situação de um acampamento de lavradores sem terra, em especial a falta de higiene.

Aos 29 anos, decidiu aderir àquela causa.

Na época, como já contava com a propriedade da família em Mundo Novo, não via naquela adesão à militância uma oportunidade de conquistar um pedaço de terra. De fato, atuava como mais uma colaboradora da Pastoral da Terra.

Dessa forma, com os filhos Vantuir, então com 12 anos, Wladimir, com 10, e Sandra, com 6, mudou-se para um acampamento em

Pioneiros do MST

Glória de Dourados, para onde as famílias da fazenda Santa Idalina foram transferidas.

Tudo muito rápido, no mesmo ano, com os filhos e os sem-terra, montou seu barraco de lona em Campo Grande, na frente da Assembléia Legislativa. O acampamento foi a maneira que os sem-terra da Santa Idalina encontraram para pressionar o governo a encontrar uma área para eles em qualquer lugar do estado.

A resposta veio em setembro com o assentamento Padroeira do Brasil, em Nioaque. Lá, os sem-terra ganharam os lotes, e Santina o direito de levar os objetos pessoais e os filhos para uma casinha de madeira na agrovila.

***

Essa militância relâmpago de Santina chamou a atenção da Pastoral da Terra e dos líderes dos sem-terra de Mato Grosso do Sul. No curto intervalo de cinco meses entre a invasão da Santa Idalina e o assentamento das famílias na gleba Padroeira do Brasil, a incansável Santina foi escolhida, ao lado de Milício Pereira da Silva, representante do estado na primeira direção nacional do MST.

Santina e Milício viajaram para Curitiba já cientes dos cargos que assumiriam no congresso.

As atribuições no movimento apenas aumentaram no retorno ao estado. Santina viajava sem parar por Mato Grosso do Sul e outros estados. Reuniões em São Paulo com a direção nacional do movimento e audiências em Brasília com o comando do Incra a afastavam dos três filhos.

Pioneiros do MST

O estresse não estava apenas nos deslocamentos, nas horas dentro de ônibus e na preocupação com os filhos, deixados sob os cuidados de amigos assentados.

Nesse vaivém, Santina recebeu pelo menos duas ameaças diretas de morte.

A primeira delas, ao vivo, na televisão, veio num debate sobre reforma agrária promovido por uma emissora de Dourados, a maior cidade daquela região do estado.

Na mesa, além de Santina, diretora nacional do MST, havia ainda um fazendeiro, um integrante da Pastoral da Terra e um membro do sindicato de trabalhadores rurais do município.

A invasão da fazenda Santa Idalina havia sido algo marcante, tanto para aquela região como para todo o estado. Temas como reforma agrária, acampamentos, ocupações e assentamentos estavam no dia-a-dia da mídia local.

Naquele debate, o clima entre os integrantes da mesa se manteve calmo até Santina lançar a idéia de que as propriedades rurais do país deveriam ter um limite máximo de tamanho. Pela proposta dela, definido o limite máximo, o excedente seria destinado pelo governo para assentamentos da reforma agrária.

Preocupado com o avanço da organização dos sem-terra no estado, o fazendeiro não controlou as palavras ao ouvir a proposta do MST. Olhou para Santina e, sem meias palavras, disse:

— Você está marcada.

A jovem líder dos sem-terra não deixou a ameaça passar em branco. Ao vivo, respondeu ao fazendeiro com uma pergunta:

— Quer dizer que estou marcada para morrer?

O fazendeiro não recuou:

— Entenda como quiser.

Santina deixou aquele debate com uma dúvida: estaria ela de fato sob o risco de ser assassinada? Ou aquela ameaça tinha sido apenas um blefe?

A incerteza era natural, principalmente para quem cresceu longe dos conflitos e somente meses antes havia iniciado a militância no terreno espinhoso da disputa pela terra.

***

Não demorou muito tempo para aquela dúvida de Santina se transformar numa certeza absoluta.

Semanas depois do debate na televisão, a diretora do MST teria, mais uma vez, de deixar os filhos no assentamento Padroeira do Brasil, em Nioaque, para percorrer o interior do estado e lidar com as deman-das do movimento.

Certo dia, participou pela manhã de um encontro de sem-terra em Glória de Dourados e, no início da tarde, foi a Campo Grande tratar de questões burocráticas do movimento. Pouco antes do anoitecer, seguiu para a rodoviária da capital para pegar um ônibus com destino a Mundo Novo. Lá, onde ainda viviam os pais e os irmãos, ela tomaria pé de um novo conflito envolvendo os brasiguaios.

Na plataforma da rodoviária, à espera do ônibus, Santina percebeu os olhares diretos de um rapaz magro, alto, cabelo escuro e pele morena. De calça jeans e camisa branca de manga curta, ele estava a alguns me-tros dela, aparentemente esperando o mesmo ônibus.

A princípio, o olhar do rapaz não mexeu com Santina. Como lida-va no dia-a-dia com centenas de sem-terra, ela imaginou ser ele algum velho conhecido, de algum sindicato, algum acampamento, alguma paróquia.

O ônibus chegou e encostou na plataforma. Santina logo se acomo-dou no assento, na janela de uma das primeiras fileiras.

O rapaz entrou em seguida. Sentou-se justamente ao lado de San-tina, sem cumprimentá-la.

A viagem começou em silêncio. Santina não tirava os olhos da jane-la. Lembrou-se da ameaça recebida durante o debate na televisão, mas, até então, não tinha motivos para desconfiar daquele rapaz sentado no banco ao lado.

Alguns minutos se passaram, e o rapaz se levantou.

Ao contrário do que faria qualquer passageiro, ele não seguiu em direção ao motorista para solicitar a parada. Ficou de pé, com o corpo

CAMPO E COZINHA

virado na direção de Santina e com as mãos erguidas e agarradas no porta-bagagem.

Angustiada, Santina tirou os olhos da janela e ouviu, pela primeira vez, a voz daquele homem:

– Você não tem medo do que anda fazendo por aí?

A resposta de Santina foi para desconversar.

– Não sei do que você está falando.

Mas o rapaz foi mais direto.

– Sou bem informado, e é bom você lembrar que tem filhos pequenos.

Santina se manteve imóvel e ouviu um último recado.

– A gente se encontra.

O rapaz desembarcou no primeiro povoado, e Santina nunca mais viu o rosto do qual nunca se esqueceu.

Pioneiros do MST

Na mesma noite, na casa da família, em Mundo Novo, a amedrontada líder dos sem-terra fez um longo relato do ocorrido. Mas o choro da mãe e os pedidos para que abandonasse o MST não a convenceram. Queria continuar.

***

Santina não resistiu por muito tempo àquele ritmo.

Tinha acumulado duas ameaças de morte e um desmaio, por conta do cansaço, na rodoviária de Campo Grande. Além disso, não tinha como objetivo a conquista de um lote de terra. Gostava do movimento e esbanjava disposição para ajudar, mas o custo da militância estava muito alto diante da relação com os filhos.

Santina decidiu jogar tudo para o alto no fim de 1985, quando a filha Sandra, então com 7 anos, lançou-lhe a ameaça de somente ir para a escola caso a mãe estivesse em casa.

A menina tinha medo de subir e descer sozinha do caminhão usado como transporte escolar no assentamento Padroeira do Brasil. Da agrovila à escola eram 8 quilômetros.

Santina comunicou a decisão aos amigos do MST de Mato Grosso do Sul, fez as malas, deixou o filho mais velho com os pais dela e se mudou para Rondônia com Sandra e Wladimir.

A mudança repentina para o Norte do país foi proposital. Queria se afastar por completo do movimento, para tirar da cabeça o peso de um suposto ato de covardia que passou a atormentá-la nas semanas seguintes. Se ficasse por lá, talvez se arrependesse da decisão exclusiva a favor dos filhos.

Pioneiros do MST

"Fugi de mim mesma, porque era uma coisa que gostava de fazer. Também tenho certeza de que não dava pra continuar por causa das crianças. Mas hoje eu acho que faria diferente", diz Santina.

***

Em Rondônia, Santina foi atrás de uma irmã e de alguns outros familiares que viviam por lá. Instalou-se numa comunidade do município de Jaru, no centro do estado.

Certo dia, pouco antes das duas horas da tarde, Santina decidiu ajudar um primo na plantação de arroz. Era um dia de sol, sem ventos, apenas com uma brisa quente. Para acompanhá-los na roça, o primo levou a filha de 14 anos, e Santina, a filha Sandra, então com 7 anos.

O primo de Santina estava com malária. Por isso, logo que avistou uma gigantesca e isolada paineira no meio do arrozal, Santina levou todos àquela sombra. Ali poderiam descansar um pouco antes de retomar o trabalho.

Na sombra da árvore, Santina se abaixou para esticar um velho pedaço de pano no chão. Foi aí que ouviu um estalo.

Ela e o primo olharam juntos para o alto e perceberam que aquele barulho seco era o sinal de que, do nada, sem raio, sem tempestade, a paineira havia se partido ao meio. Aquele monstro de árvore, a única no meio dos pés de arroz e com cerca de 10 metros de altura, começava a cair na direção deles.

Todos correram. Santina pegou no braço da filha e se afastou o máximo que pôde. De todos, a única que escapou ilesa foi a filha de seu primo. Os demais foram atingidos pelos galhos.

Tonta, Santina via jorrar sangue de sua cabeça. O primo, com malária e atingido numa das pernas pela árvore, também mal conseguia sair do lugar.

Ele olhou para Sandra e depois para Santina.

– Sua filha está morta, disse o primo.

Santina não acreditou e o obrigou a fazer respiração boca-a-boca na menina. Ela estava viva. Arrastaram-na por cerca de 50 metros até a sede da propriedade.

Então com 11 anos, o filho Wladimir tinha ficado em casa por conta de uma leishmaniose e, ao ouvir a gritaria no quintal, saiu pela vizinhança em busca de socorro.

Todos ali sabiam que qualquer ajuda levaria pelo menos meia hora para percorrer os 8 quilômetros do centro de Jaru até a comunidade. Por sorte, naquele exato momento Wladimir localizou uma caminhonete Toyota de uma autarquia federal estacionada no quintal de uma das casas vizinhas.

O veículo seguiu com Sandra para o hospital de Ariquemes, a 100 quilômetros de Jaru, no sentido de Porto Velho.

No caminho, Santina passava a mão na cabeça da filha e sentia todos os ossos quebrados. Ela havia fraturado a clavícula, um braço, algumas costelas e ainda teve traumatismo craniano.

Pioneiros do MST

O estado da menina era gravíssimo, e a parada no hospital de Ariquemes serviu apenas para uma rápida dose de soro e a troca da Toyota por uma ambulância.

Um médico abusou da sinceridade.

— Espero que sua filha consiga passar viva pelo rio Massangana.

De Ariquemes, seguiram por mais 200 quilômetros até Porto Velho, capital e único local do estado com hospitais em condições de atender uma menina que vomitava e urinava sangue.

Santina e a filha cruzaram o rio Massangana e chegaram à capital rondoniense por volta das oito da noite. Tudo muito rápido para quem tinha se ferido seis horas antes numa vila a 300 quilômetros de lá.

No hospital de Porto Velho, Sandra foi logo atendida por uma equipe de nove médicos. Um enfermeiro doou sangue para ajudá-la numa cirurgia de drenagem de pulmão, à qual foi submetida logo nas primeiras horas de internação.

A Santina das invasões de terra, dos enfrentamentos com a Polícia Militar e das seguidas ameaças de morte estava sem chão. Sozinha, com a filha desacreditada pelos médicos, tentava reunir forças para resistir àquele momento.

Na madrugada, com Sandra em estado de coma, o médico responsável pelo hospital se aproximou de Santina e lhe fez um relato da situação.

A mãe se lembra até hoje daquelas duras palavras:

— Se ela não morrer, pode ficar do jeito que está aí. Se sua filha não morrer, será um milagre de Deus.

Santina passou a acreditar nesse milagre. Não arredou pé do hospital.

Pioneiros do MST

A equipe médica tinha tão poucas esperanças na vida de Sandra que montou um esquema de unidade de terapia intensiva na pediatria do hospital. Assim, nas palavras do médico, a mãe poderia acompanhar de perto os últimos momentos da filha.

Todos os dias Santina falava com a filha. Em coma, a menina nada respondia, mas a mãe repetia as mesmas palavras de incentivo pela manhã, à tarde, à noite e de madrugada.

No 12º dia de internação, no meio da noite, foi a vez de Santina ouvir um chamado da filha:

— Mãe, eu não sei mais rezar.

Assustada, Santina pulou da cadeira e segurou as mãos da menina:

— Você quer rezar, minha filha?

Sandra fez o sinal positivo com a cabeça, e Santina começou a rezar um pai-nosso. A filha tentou, mas logo ficou sem voz e com os lábios roxos. Os médicos chegaram para ajudá-la.

Sandra e Santina ficaram 30 dias no hospital.

A menina saiu de lá sem nenhuma lembrança do acidente. Ficou ainda três anos arrastando as pernas. Recuperada, conseguiu andar sem deixar escapar os chinelos dos pés.

***

Santina havia seguido para Rondônia justamente para fugir da estressante rotina do Movimento dos Trabalhadores Rurais Sem Terra. Mas, adaptada à vida amazônica e recuperada do susto com a filha, logo se viu envolvida em uma série de compromissos na comunidade Pedra Branca, na época pertencente a Jaru e logo agregada ao novo município de Governador Jorge Teixeira.

Em meados de 1991, a antiga diretora nacional do MST acumulava três funções: diretora do colégio da comunidade, dirigente do estudo bíblico dominical da Igreja Católica e agente voluntária de saúde.

A casa de Santina mais parecia uma enfermaria do povoado, e, por muitas vezes, ela deixava de cozinhar para os filhos para cuidar dos doentes vindos da floresta.

Quando o posto de saúde estava fechado, os que chegavam da mata, principalmente aqueles picados pelo mosquito transmissor da malária, batiam na porta da casa dela em busca de ajuda.

Santina era figura fácil na região. Em 1992, filiou-se ao PDT para disputar as eleições a vereador.

Na ocasião, para encaixar um bom candidato em cada ponto do estado, o partido convenceu Santina a transferir seu título para Cacaulândia, município vizinho a Governador Jorge Teixeira e recém-desmembrado de Ariquemes. Longe de sua base, chegou perto, mas não conseguiu uma vaga na câmara municipal cacaulandense.

A derrota nas eleições, a mudança para Cacaulândia, a rápida passagem por Ariquemes e o breque que deu nas atividades com a comunidade logo fizeram Santina enjoar de Rondônia.

Decidiu se mudar de lá no início de 1993.

Ela não tinha a menor idéia de para onde ir. Só tinha a certeza de não querer voltar, ou seja, na cabeça dela, "descer" de volta para Mato Grosso ou Mato Grosso do Sul. Queria ir para a frente. E foi justamente o que fez. Com os filhos Sandra e Wladimir, pegou a BR-364 e "subiu" de ônibus para Rio Branco, mesmo sem conhecer ninguém na capital do Acre.

Pioneiros do MST

Santina tinha ouvido falar do Acre, mas pouco sabia sobre o estado um dia coberto pela floresta. Desembarcou na rodoviária de Rio Branco com a cara e a coragem, alugou uma casa e abriu o próprio negócio: cozinhava e vendia comida num quiosque dentro do mercado municipal.

Nos tempos de Acre, Santina ainda teve tempo para, em 1996, fazer um bate-e-volta em Rondônia para pegar o filho recém-nascido de uma sobrinha, o menino Diego.

– A minha sobrinha era muito nova, mãe solteira. Não estava assumindo a criança. Pedi, e ela me deu o menino.

A passagem por Rio Branco acabou em 2004, quando voltou para Mundo Novo para cuidar da mãe idosa. Wladimir e Diego voltaram com Santina, e Sandra, desenganada anos antes pelos médicos de Rondônia, ficou no Acre, com o marido e dois filhos.

CAMPO E COZINHA

***

Aos poucos, enquanto aguarda os créditos de seu primeiro lote de terra, Santina retoma as atividades no município em que pouco mais de duas décadas atrás havia conhecido os amigos da Pastoral da Terra. Dessa vez, os seus compromissos nada têm a ver com os sem-terra ou com agentes de saúde. Ela integra o conselho participativo de Mundo Novo, ajuda a definir a aplicação do orçamento do município, conta as horas para poder construir sua casa no assentamento e sonha, algum dia, fazer um curso profissionalizante.

– Pode ser cabeleireira ou costureira.

Cangaceiro

> "Largo a minha família, mas não tiro a minha camisa."

Jandir Basso
No final dos anos 1980, ao ser pressionado pela mulher a abandonar a militância e dar mais atenção à família.

De Mundo Novo, no extremo sul da região Centro-oeste, ao próximo destino foram 485 quilômetros. Até a chegada a Abelardo Luz, em Santa Catarina, atravessa-se o oeste do Paraná, com as fronteiras com o Paraguai e a Argentina do lado direito da estrada.

Na entrada do município, no noroeste catarinense, a saudação aos motoristas: "Bem-vindos à capital da semente da soja." Dominam a região as plantações de milho, fumo e soja, além da criação de gado leiteiro.

Abelardo Luz é um município com a zona rural dominada por assentamentos da reforma agrária. O centro da cidade fica afastado da rodovia, por isso as ruas são pacatas, restritas apenas ao trânsito local.

Numa delas, aos 57 anos de idade, vive Jandir Basso.

O terreno dele tem 555 metros quadrados e uma casa com quatro dormitórios, dois banheiros, sala e cozinha. No quintal há uma vasta área para o cachorro e um cercadinho no qual planta mandioca, frutas e verduras. O xodó dele é o pequeno parreiral, cultura deixada pelo pai italiano.

No terreno gramado sobra espaço para um fusca branco 1973, que chegou ali em 2007, depois de uma brincadeira em família: Jandir acreditou ter ganho o carro num sorteio, após um jogo de futebol, quando

Pioneiros do MST

tudo não passou de uma encenação armada por amigos e pelo filho, que havia comprado o veículo para presentear o pai.

Assim como os colegas Darci, Geraldo e Santina, Jandir também é gaúcho. Nasceu no interior do Rio Grande do Sul, no município de Encantado, 180 quilômetros ao norte da capital, Porto Alegre. Foi por lá que a família de descendentes de italianos cresceu e se estruturou no início do século passado.

Jandir ficou apenas até os 4 anos de idade nessa pequena propriedade da família. O pai italiano e a mãe gaúcha reuniram os oito filhos e se mudaram para São Valentim, ainda no Rio Grande do Sul, próximo a Erechim.

Por lá ficaram menos de um ano. Arrumaram as malas de novo e subiram mais um pouco. Atravessaram a divisa com Santa Catarina e se instalaram em Xanxerê, na comunidade de Toldo Velho.

Foi lá, na terra dos pais, que Jandir viveu os últimos anos de infância, passou a adolescência e se tornou um jovem agricultor. No município, viveu até os 24 anos, sem ter conseguido ir além da quarta série do primário.

Da casa no campo até a escola mais próxima, onde poderia cursar a quinta série, eram exatos 35 quilômetros. Naquele tempo, fim da década de 1950 e início da seguinte, não havia transporte escolar à disposição.

A única solução, tanto para Jandir como para os colegas, era trocar os livros pelo trabalho na roça. Foi o que fez. Na área de 20 hectares do pai, mexia com milho, trigo e feijão.

Mais uma migração da família veio em 1974. Pai, mãe, seis filhas e dois filhos seguiram para Medianeira, no oeste do Paraná. Numa propriedade de 15 hectares, na comunidade Flor da Serra, pai e filhos passaram a produzir fumo, soja e milho.

***

A chegada da família Basso a Medianeira coincidiu com um período de turbulência na região oeste do Paraná. A partir do fim da década de 1970, famílias de posseiros desalojadas por conta da usina hidrelétrica de Itaipu começavam a perambular em busca de terra.

Não havia espaço suficiente para todos. Muitos foram buscar refúgio em terras paraguaias. Outros vagueavam pelas redondezas de Foz do Iguaçu e de Medianeira, o que somente fez crescer a importância dos sindicatos e, principalmente, das igrejas Católica e Luterana, ambas via Comissão Pastoral da Terra.

Ao pisar em solo paranaense, Jandir trazia na bagagem a experiência com o trabalho de assistência técnica aos pequenos agricultores. Por alguns anos, havia prestado esse tipo de serviço a um órgão do governo catarinense.

Com a ajuda de padres belgas, dominantes naquela região do Paraná, ajudou a criar a Associação de Estudos, Orientação e Assistência Rural (Assesoar), entidade filantrópica com sede em Francisco Beltrão, cujo objetivo era oferecer assistência técnica aos lavradores, além de organizá-los e orientá-los sobre os direitos no campo.

Nessa época, a reforma agrária era assunto obrigatório nos encontros organizados pela Assesoar. Jandir militava na Pastoral da Terra e coordenava grupos de reflexão, tanto em sua comunidade como em outros pontos do município.

No Paraná, o surgimento do MST é conseqüência direta da usina de Itaipu e da atuação, a partir de julho de 1980, do Movimento dos Sem Terra do Oeste do Paraná (Mastro). Organizado em núcleos, em quatro

Pioneiros do MST

municípios, esse movimento cadastrou em oito meses cerca de 6 mil sem-terra.

A base do Mastro era de posseiros desalojados por Itaipu e que não haviam sido indenizados nem reassentados pelo governo. Nenhum deles tinha documentos que comprovassem a posse das terras das quais haviam sido retirados.

Jandir era próximo a Werner Fuchs, pastor da Igreja Luterana, integrante da Pastoral da Terra e um dos idealizadores do Mastro. Juntos, por algumas vezes percorreram os cerca de 20 quilômetros entre Medianeira e as margens do rio Iguaçu para medir com uma régua o ritmo de mudança do nível das águas pós-represamento para a formação do lago de Itaipu.

Empolgados com a supervalorização daquelas terras por conta do aumento expressivo da demanda pós-Itaipu, os pais de Jandir decidiram vender pouco mais da metade da propriedade. Com o dinheiro no bolso, retornaram a Santa Catarina.

Jandir preferiu permanecer no Paraná. Ele passaria depois por Santa Catarina para, ao lado de outros líderes do Mastro, visitar e oferecer apoio político aos sem-terra acampados da Encruzilhada Natalino, no Rio Grande do Sul.

***

Em Medianeira, no início de 1983, Jandir militava na Pastoral da Terra, coordenava o Mastro e integrava a direção do sindicato dos trabalhadores rurais do município.

Sempre viajava para Curitiba com representantes dos lavradores de diferentes municípios do oeste paranaense. Na capital do estado, para aproveitar o deslocamento, participava de reuniões com dirigentes do Incra, da CNBB e do governo do estado.

Numa dessas viagens, ainda em 1983, Jandir recebeu a senha para uma invasão de terra. Após audiência na Secretaria Estadual da Agricultura, Claus Germer, o então secretário, segurou no braço de Jandir e pediu que ele aguardasse que todos saíssem da sala.

Jandir atendeu o pedido e logo foi levado a um local mais reservado na secretaria. De forma discreta, Germer deu a ele todas as coordenadas de uma fazenda a ser facilmente desapropriada, caso fosse ocupada naqueles dias.

Jandir quis saber mais detalhes.

O secretário, um engenheiro agrônomo petista no governo de José Richa, explicou então que se tratava de uma área com cerca de 500 hectares usada como pista de pouso por traficantes de drogas.

Germer completou o rápido relato fornecendo a Jandir mais uma informação:

– Passada a ponte, entre à direita e siga direto até a fazenda com o nome de Cavernoso.

Os traficantes haviam sido presos dias antes, e o secretário da Agricultura sabia que uma propriedade flagrada nessas condições seria repassada aos sem-terra com menos burocracia.

Conhecido como "Cangaceiro" pelos amigos, o barbudo Jandir retornou a Medianeira. Além de manter o máximo sigilo da informação, o passo seguinte seria conhecer o local.

Jandir chamou um compadre sem-terra e um colega da Pastoral da Terra e, com seu Fusca amarelo, seguiu para o município de Cavernoso, a 200 quilômetros de Medianeira.

Pioneiros do MST

CANGACEIRO

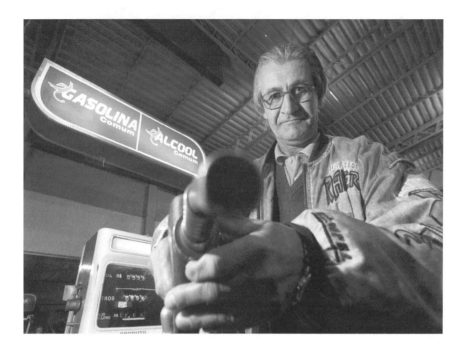

A orientação era a seguinte: ao encontrar os seguranças da fazenda, o colega da Pastoral da Terra fingiria ser um produtor interessado pela área; o sem-terra, o futuro caseiro da propriedade, e Jandir, um amigo do fazendeiro.

Foi difícil, mas chegaram à fazenda Cavernoso. O fusquinha ficou atolado 5 quilômetros antes da entrada da propriedade, logo após a tal ponte citada pelo secretário Germer.

Não havia o aguardado grupo de seguranças. Apenas um capataz. Conversa vai, conversa vem, Jandir e os amigos saíram de lá convictos de que a invasão da área não seria complicada.

Dois meses depois da sugestão de Claus Germer, um ônibus, um caminhão e uma caminhonete levaram 47 famílias para dentro da

Pioneiros do MST

propriedade. Não houve resistência, principalmente pela promessa de reservar um lote de terra para o capataz, logo após a desapropriação.

O exemplo da fazenda Cavernoso viria a ser citado como uma vitória na "luta pela reconquista da terra" no documento final do Primeiro Encontro Nacional dos Trabalhadores Rurais Sem Terra, organizado em janeiro de 1984, no município paranaense de Cascavel, e no qual foi oficialmente criado o MST.

Além de representantes de sindicatos e da Pastoral da Terra, o encontro contou com a participação de representantes de sem-terra de 11 estados: Rio Grande do Sul, Santa Catarina, Paraná, Mato Grosso do Sul, São Paulo, Bahia, Espírito Santo, Goiás, Rondônia, Acre e Pará. Descobriu-se dias depois que o único representante de Roraima no encontro era na verdade um agente infiltrado do antigo Serviço Nacional de Informações, o SNI.

Entre outros pontos, o encontro definiu a chamada arquitetura do movimento, que teria um comando colegiado (sem presidente) e os estados teriam igual representatividade na direção (ou seja, dois integrantes cada um).

Além disso, decidiram colocar em prática a avaliação do sociólogo e assessor da Pastoral da Terra, José de Souza Martins, segundo a qual um movimento camponês, para dar certo, teria de ser nacional, pois em caso contrário se transformaria num sindicato. Além de nacional, ainda segundo Martins, teria de estar bem fixado no Nordeste, onde estavam 60% dos camponeses do país.

Jandir esteve entre os organizadores desse encontro, principalmente por causa da proximidade de Medianeira com Cascavel. Da sede do Sindicato dos Trabalhadores Rurais de Medianeira, onde atuava, ao Centro Diocesano de Formação de Cascavel, palco do encontro, eram cerca de 80 quilômetros.

Na semana do evento, Jandir ficou responsável por toda a burocracia. Disponibilizou colchões para os cerca de 100 convidados, contratou cozinheiras, comprou comida e pegou emprestadas algumas máquinas de escrever.

A partir daí o Mastro incorporou-se ao MST.

***

Jandir não quis saber de nenhum pedaço de terra desses novos assentamentos. Estava satisfeito com os 4 hectares deixados pelo pai e parecia muito mais interessado em organizar novas ocupações.

Cada uma delas tem a sua história. No caso da fazenda Cavernoso houve a dica do governo do estado. Já no início de 1984, na invasão da fazenda Mineira, em São Miguel do Iguaçu, Jandir teve de agir de forma inusitada para evitar a dispersão das famílias logo após o despejo.

Os líderes do acampamento foram estrategicamente presos algumas horas antes da ação da Polícia Militar. Na área, sem aqueles que comandaram a entrada na fazenda, mulheres, crianças e os sem-terra restantes não estavam organizados para esboçar qualquer reação diante de um despejo.

Dessa forma, policiais encheram sem dificuldade seis caminhões com os sem-terra retirados da Mineira. A idéia era que cada veículo seguisse para um ponto diferente do estado, a fim de desmobilizar aquele grupo de acampados.

Os líderes do MST perceberam a estratégia da polícia e buscaram uma forma de levar os caminhões aos fundos da igreja matriz de Medianeira, onde, com o apoio do padre da cidade, montariam outro acampamento.

Pioneiros do MST

Com seu fusquinha, Jandir e outro integrante do movimento seguiram até as proximidades da fazenda. Ao verem a saída de um primeiro caminhão no sentido de Foz do Iguaçu, contrário ao de Medianeira, logo perceberam que seria complicado guiá-los à igreja. O motorista agia sob as ordens de dois policiais sentados na boléia.

Os dois colegas tinham de pensar numa solução rápida. Outros caminhões viriam em seguida. Jandir desceu do Fusca, abriu a tampa do motor e arrancou um parafuso qualquer. Nesse pedaço de metal, amarrou um bilhete com a seguinte orientação: "Faça o motorista levá-los à igreja matriz de Medianeira."

Ao ver a saída de mais um grupo de famílias despejadas, Jandir emparelhou o fusca ao caminhão e, da janela do carro, arremessou o bilhete na caçamba lotada.

Os sem-terra leram o bilhete e imediatamente passaram a bater com foices e facões na lataria da cabine. Dessa forma, conseguiram "guiar" o motorista à igreja. Ao lado dele, os dois policiais perceberam a fúria dos lavradores e nem sequer sugeriram outra opção.

Dos seis caminhões que deixaram a fazenda Mineira, um seguiu para Foz do Iguaçu e outro para Cascavel. Os demais estacionaram nos fundos da igreja matriz.

***

A dedicação à militância veio acompanhada de ameaças de morte. As primeiras vieram por telefone. Os recados para que se "acalmasse" ou "parasse com isso" eram deixados com quem atendia o telefone, tanto Jandir como a mulher, Oneide.

A ameaça mais direta veio num fim de tarde.

Como fazia todos os dias, Jandir entrou no fusquinha. Teria pela frente os 11 quilômetros entre o sindicato e a propriedade. Desta vez, no meio do caminho, uma Belina bege se aproximou em alta velocidade até ficar lado a lado com o Fusca.

Na primeira curva, Jandir foi fechado bruscamente. Sem deixar o carro sair do asfalto, reduziu a marcha, segurou firme o volante e conseguiu controlar o carro.

Esperando a segunda tentativa, olhou pelo retrovisor. Viu apenas uma manobra rápida da Belina, saindo em disparada de volta ao centro de Medianeira, sem deixar pistas. Jandir não conseguiu ver a placa da Belina, muito menos o rosto do motorista.

***

Em meados de 1985, recém-eleito diretor nacional do MST no congresso nacional de Curitiba, Jandir enfrentava sérias dificuldades dentro de casa.

Não eram apenas as ameaças de morte. Oneide não agüentava mais ver o marido longe da família. Eram viagens e mais viagens para reuniões do movimento. Chegava a ficar 15 dias seguidos longe da mulher e das três crianças.

Para piorar as coisas, Jandir perdeu o pai logo a seguir, vítima de um fulminante ataque cardíaco. A mãe, alcoólatra, foi viver em Medianeira.

Com o marido sempre longe de casa, além de cuidar da sogra, Oneide tinha de dar atenção especial à filha mais velha, Regiane, então com 12 anos, portadora de síndrome de Down, além de cuidar da sogra e de outros três filhos: Edson, com 10 anos, Everton, com 7, e a adotiva e recém-nascida Franciele.

As visíveis dificuldades não afastaram Jandir da militância. Na época, ainda ajudou a fundar o Partido dos Trabalhadores na cidade. Acumulou Pastoral da Terra, sindicato, MST e PT.

Sem saber mais o que fazer, Oneide cobrou o afastamento de Jandir daquelas atividades. E até hoje não esquece a resposta que ouviu do marido:

– Largo a minha família, mas não tiro a minha camisa.

***

Agora era o PT que dominava a cabeça de Jandir. No MST e no sindicato, atuava apenas como colaborador. Estava mesmo fascinado pela política. Tanto é que, em 1986, foi candidato a deputado estadual, numa tentativa de fortalecer o novo partido no oeste do Paraná.

Perdeu as eleições e continuou a irritar a mulher por conta do fanatismo e da entrega exagerada à militância.

Mesmo com a família em dificuldades, Jandir resolveu doar um boi ao PT de Medianeira. Dessa forma, avaliou na ocasião, o partido poderia organizar uma rifa e arrecadar fundos para o diretório munici-

Pioneiros do MST

pal. Não satisfeito com o próprio gesto, Jandir também comprou alguns bilhetes numerados para ampliar a colaboração. Não deu outra: um de seus números foi sorteado na rifa, e Jandir ganhou o boi de volta. Parou por aí? Para o desespero de Oneide, não. Ele fez o favor de entregar o boi de volta para o partido.

Essa dedicação ao PT lhe rendeu uma cadeira de vereador em Medianeira nas eleições de 1988. A lua-de-mel com o partido durou pouco. Foi expulso da legenda no fim de 1991, quando decidiu não mais repassar parte do salário ao caixa municipal do partido, o chamado dízimo.

Jandir alegou que precisava de todo o salário da Câmara para cuidar da saúde da filha recém-nascida. Filiou-se a seguir ao PMDB, e viu sua menina morrer antes de completar 3 anos de idade. Oneide passou a odiar o PT e a questionar o marido se todo aquele sacrifício pelo partido, como no caso da rifa, tinha valido a pena.

A vida na política prosseguiu. Em 1992, já pelo PMDB, Jandir tentou a reeleição a vereador. Perdeu, mas, como compensação, ficou os quatro anos seguintes como chefe do Departamento de Agricultura de Medianeira.

Em 1996, voltou a se candidatar a vereador. Dessa vez, pelo município de Serranópolis do Iguaçu, emancipado de Medianeira um ano antes. Jandir perdeu outra eleição e ficou sem rumo. Estressado, beirando a depressão, sofreu com a dilatação do ouvido esquerdo e a perda de 85% dessa audição.

As decepções se seguiram até 2000, quando decidiu mudar de ares. Precisava sair dos lados de Medianeira, onde completou o segundo grau e conheceu a militância.

Seguiu para Chapecó, em Santa Catarina. Lá, trabalhou como vendedor de frutas numa loja da cidade. Depois, mudou-se para uma chácara e, a seguir, para outra.

Pioneiros do MST

Não conseguiu se adaptar.

Em 2003, arrumou as malas e partiu para Abelardo Luz, município próximo, onde vive até hoje com Oneide e a filha Regiane.

***

Até então, Jandir não tinha experimentado viver e atuar longe do campo e da militância de partidos e de movimentos sociais. Em Abelardo Luz, veio a novidade: residência na zona urbana e trabalho num posto de combustíveis.

Jandir, sem a famosa barba do Cangaceiro dos tempos de MST, agora com cabelos brancos penteados para trás, ficou um ano e meio no mesmo posto. Mudou de emprego em setembro de 2004, mas continuou num posto de combustíveis, como frentista e guarda-noturno.

Então com 55 anos, tinha de bater cartão às sete e meia da noite. O expediente do ex-diretor nacional do MST ia até as cinco e meia da manhã, enchendo tanques, jogando água nos pára-brisas e vendendo bebidas, principalmente cerveja, na madrugada, quando os bares da cidade já estavam fechados.

O trabalho solitário nas madrugadas também tinha seus riscos. No segundo mês na função, por volta das duas horas de 11 de novembro de 2004, Jandir foi surpreendido enquanto bebericava tranqüilamente o inseparável chimarrão.

O boletim de ocorrência número 833, de 2004, da Delegacia de Polícia de Abelardo Luz, descreve o ocorrido, segundo a versão do "comunicante", Jandir Basso.

"Relata o comunicante que o mesmo é guarda-noturno, e na data do fato o mesmo encontrava-se no interior do posto, quando três elementos passaram em frente ao posto central uivando como cachorro, no sentido de chamar a atenção do comunicante. Que o comunicante, ao escutar, saiu do recinto. Foi quando um quarto elemento lhe calçou com uma arma de fogo, ao qual o comunicante ficou sem reação. Que o comunicante foi conduzido para dentro do posto, onde teve o mesmo que passar pochete, onde continha dentro da mesma uma quantia de aproximadamente 300 reais em moeda corrente. Que o comunicante, no momento, não conseguiu identificar qualquer dos quatro elementos. Nada mais relatou."

No documento, consta que Jandir "nada mais relatou". Mas o fato é que, naquela madrugada, Jandir reagiu ao roubo.

Assim que o assaltante, de estatura média, magro e de cor clara, deixou o escritório do posto, Jandir pegou seu revólver calibre 38 e saiu em perseguição a ele pelas ruas da cidade. Foram pelo menos quatro tiros, todos fora do alvo.

***

Por 15 meses Jandir enfrentou a madrugada no posto. Mal conseguia dormir durante o dia. Caía na cama assim que chegava em casa, acordava para o almoço e dormia mais um pouco. No início de 2007, quando se acostumou à vida de coruja, foi convidado por um vereador e pelo vice-prefeito da cidade, ambos petistas, a fazer um trabalho de assessoria política para o partido.

Jandir aceitou na mesma hora o convite e logo preencheu a ficha de filiação no diretório petista da cidade. Por dois salários mínimos, um pouco menos do que recebia no posto, tem como obrigação o chamado "trabalho de base".

Assim como fazia nos tempos de sindicato e do movimento dos sem-terra, Jandir trabalha na organização de grupos de associações. Dessa vez, porém, não é ele quem discursa. A função é deixar tudo pronto nas comunidades para as falações do vereador e do vice-prefeito.

Jandir parece satisfeito com o atual trabalho e em nada arrependido dos anos de dedicação a MST, PT, Pastoral da Terra e sindicatos. "Tenho orgulho do meu passado, apesar das dificuldades." A única falha, acredita, foi não ter lutado por um lote nessas muitas invasões de terra que ajudou a organizar. "Hoje eu me arrependo."

Abelardo Luz (SC) - Araquari (SC)

Rodovia do amor

"Queimei coisas [documentos internos do MST] que não deveria queimar. Mas a repressão [no governo Collor] era muito forte."

Agnor Bicalho Vieira

A os 66 anos, Agnor Bicalho Vieira, conhecido por todos no MST como Parafuso, vive no município catarinense de Araquari. De Abelardo Luz até a casa dele são 530 quilômetros.

Parafuso vive numa pequena chácara, bem à margem da BR-280, estrada que liga Joinville a Jaraguá do Sul. A casa fica numa baixada, ao fim de uma pequena trilha de terra. De lá, é possível ver e ouvir a passagem de ônibus e caminhões pela "rodovia do amor", conhecida assim por conta dos prostíbulos e dos motéis instalados a cada quilômetro.

Ele, a mulher e seis filhos entraram nesse terreno em que vivem em abril de 1981. Na época militante da Comissão Pastoral da Terra, Parafuso atuava nas discussões para a criação de um movimento nacional de trabalhadores rurais, idéia que lhe veio à cabeça diante das dificuldades enfrentadas por anos e anos ao lado da família.

E não foram poucos esses obstáculos.

Parafuso nasceu no município de Muniz Freire, no sul do Espírito Santo, próximo à divisa com Minas Gerais.

O pai, neto de portugueses, e a mãe, neta de índios, não conseguiam se fixar em nenhuma comunidade. Arrumavam as malas e seguiam viagem em busca de qualquer tipo de emprego. A família, com os pais e os dez filhos, quase sempre atuava como mão-de-obra temporária de fazendeiros.

Parafuso logo entrou nesse pinga-pinga. De Muniz Freire, seguiu para Alegre, um pouco mais ao sul do estado. O pai vendeu uma pequena propriedade da família e passou a trabalhar na fabricação de telhas e tijolos.

O trabalho longe da terra não deu certo, e logo todos rumaram para Mantenópolis, no norte espírito-santense.

Lá, na terra de seus avós maternos, Parafuso ganhou, do pai, a primeira enxada. Tinha apenas 6 anos de idade, mas já era obrigado a mexer com a lavoura de café.

No dia-a-dia, antes de sair para a roça, ainda de madrugada, ajudava os pais e os irmãos a moer e a esquentar cana-de-açúcar. A produção de rapadura e de açúcar mascavo em fôrmas ajudava no sustento de todos.

A casa da família ficava numa comunidade isolada. Parafuso e os irmãos caminhavam 3 quilômetros para chegar à escola primária do município. Para voltar, mais 3 quilômetros. Ele e outros irmãos pararam de estudar na quarta série, justamente pela falta de colégios nas proximidades.

O trabalho na roça e na criação de suínos era duro, e as refeições, limitadas. De volta da escola, Parafuso e os irmãos faziam festa quando encontravam um pouco de arroz nas panelas ajeitadas pela mãe. No dia-a-dia, o almoço e o jantar eram sempre na base de uma canjica de milho misturada com fiapos de costela de porco.

Em casa, a educação era rígida. O pai, por exemplo, proibia os filhos de jogar futebol e os obrigava a leituras diárias de trechos da Bíblia, além de estudar o catecismo. Na casa da família havia uma Bíblia em quatro volumes, raridade na época, principalmente entre os lavradores.

Pioneiros do MST

A fase de Mantenópolis acabou, e a família seguiu para a vizinha Mantena, em Minas Gerais, depois para Barra de São Francisco, outra vez no Espírito Santo, e para Medeiros Neto, no sul da Bahia.

De ponto em ponto, sempre atraídos por propostas de fazendeiros, Parafuso via os irmãos mais velhos seguirem a vida e não mais acompanharem os pais nessas mudanças pelo país.

Na Bahia, o adolescente Parafuso, os pais e ainda um punhado de irmãos foram plantar café numa extensa propriedade de terra. No trabalho de abrir a roça ao cafezal, levavam quase meio dia para serrar um único tronco de jequitibá.

A instalação da família ficava dentro da fazenda, num pequeno galpão. Não havia camas, ainda mais para uma família tão numerosa. O jeito, nas poucas horas que tinham para dormir, era colocar esteiras, uma ao lado da outra.

À noite, era comum serem acordados pela enxurrada que invadia com força o galpão. A água da chuva não poupava ninguém, mesmo porque todos dormiam no chão. Ao lado, em outro galpão, dormia o gado. Numa madrugada, um boi desajeitado não conseguiu se equilibrar nas costas de uma vaca e acabou derrubando uma parede em cima da família.

A qualidade da divisória era precária, e ninguém se feriu.

***

A temporada baiana não durou muito, e o jovem Agnor retornou com os pais ao Espírito Santo. Prestes a completar 17 anos de idade, ele já tinha passado por Muniz Freire, Alegre, Mantenópolis, Mantena,

Barra de São Francisco e Medeiros Neto. Agora, pisava de novo em Barra de São Francisco.

No município, o pai foi atraído por mais uma oferta de trabalho. Ele e os filhos teriam pela frente uma colheita de 2 mil sacas de café. O acordo com o fazendeiro foi o seguinte: o pagamento pelo trabalho seria feito com sacas de café, a serem compradas pelo proprietário da terra após a colheita.

Estavam em 1958, e a esperança de dias melhores se transformou em desastre para a família Vieira. Uma praga atacou o cafezal e destruiu por completo toda a produção. O trabalho de semanas, dias inteiros com a enxada debaixo do sol, foi todo perdido. O fazendeiro sem o cafezal, e a família sem nenhum trocado no bolso.

O desespero tomou conta da família. Sem terra, sem teto, sem o que comer, eles foram facilmente atraídos por uma proposta de trabalho na região norte do Paraná. Um agenciador de peões convenceu o desesperançado pai de família a levar a mulher, os filhos e alguns amigos trabalhadores para Londrina.

Aquele agenciador nada mais era do que o atual "gato", como é conhecido o sujeito responsável pela seleção de trabalhadores rurais para atuar em situações degradantes: sem direito a carteira assinada, jogados em alojamentos sem higiene e obrigados a pagar pela alimentação e pelas ferramentas de trabalho. Assim, endividados com o patrão, não abandonam o emprego, num regime análogo à escravidão.

Um parêntese: entre 1995 e 2007, em especial por meio de denúncias de sindicatos, pastorais e cooperativas, fiscais do Grupo Especial de Fiscalização Móvel do Ministério do Trabalho "libertaram" 27.645 trabalhadores nessas condições.

Pioneiros do MST

***

Em pouco mais de uma semana, o agenciador conseguiu reunir 90 pessoas dispostas ao novo trabalho. Entre eles a família Vieira, com Parafuso, o pai, a mãe e outros dois irmãos.

Lentamente, embarcaram todos na carroceria de um caminhão. Sentaram-se, um a um, lado a lado. As poucas roupas, algumas em sacos de café, eram ajeitadas debaixo dos bancos de madeira. Entre as tábuas, colocadas uma logo atrás da outra, mal havia espaço para dobrar as pernas. Encosto também não havia. Pela frente, 2 mil quilômetros com as costas curvadas e a cabeça balançando.

Aquele caminhão Scania era, na verdade, um possante pau-de-arara, com cinco eixos e a carroceria coberta com lona.

Pioneiros do MST

Na cabine, apenas o agenciador, o único motorista. Ao seu lado, sobre o banco vazio de passageiros, uma espingarda bem visível aos trabalhadores. Além disso, para deixar ainda mais claro o poder de intimidação, carregava um revólver na cintura e outro no porta-luvas.

O caminhão andava devagar, fazia paradas de duas em duas horas e somente rodava durante o dia. À noite, enquanto o agenciador descansava na cabine, metade dos trabalhadores deitava nas tábuas, e o restante no chão da carroceria, amontoados entre as sacolas com mudas de roupas.

Então com 18 anos, Parafuso não se esquece do gosto horrível dos sanduíches preparados pelo agenciador-motorista e do frio de rachar que ele e os demais lavradores passaram em pleno mês de julho, nas poucas horas da parada em São Paulo.

O clima de expectativa das famílias compensava um pouco o sofrimento. Encaixotados naquele caminhão enorme, fugiam da miséria e sonhavam com as 1.001 promessas do agenciador.

A viagem durou uma semana.

No sétimo dia, por volta das oito na noite, após vencer os 12 quilômetros de terra entre o centro de Londrina e a sede da fazenda, o Scania estacionou ao lado de um galpão cercado por uma lavoura branqueada pela geada.

Um a um, com os pés e as mãos duros de frio, quase congelando, os trabalhadores se agruparam para receber as primeiras orientações. O papo, a partir dali, não era mais com o agenciador, e sim com uma dúzia de funcionários da fazenda, cada um com um revólver e um cinto de balas na cintura.

Não houve conversa, apenas o recado: todos teriam de estar prontos às cinco e meia da manhã. Meia hora após o toque da sirene, funcionários da fazenda passariam nos alojamentos para levá-los de caminhão ao cafezal.

Pioneiros do MST

Nessa fazenda, o trabalho durou dez dias, prazo que a família Vieira levou para receber uma proposta digna de uma propriedade vizinha, também em Londrina. Os outros migrantes do Espírito Santo seguiram o caminho dos Vieira.

***

Sempre mexendo com café, Parafuso, os pais e os dois irmãos permaneceram em Londrina até o fim de 1961, quando foram levados a Iretama, no centro-oeste paranaense, mais uma vez atraídos por uma proposta de trabalho. Ficaram pouco tempo por lá. Dessa vez, uma forte geada destruiu todos os cafezais da região e secou o ganha-pão dos Vieira.

Parafuso queria insistir por lá, mas, com o pai doente, longe do campo, foi trabalhar de peão em Belo Horizonte, onde viviam dois irmãos mais velhos. Lá ajudou na construção de uma refinaria da Petrobras e fez um curso de soldador elétrico.

Mas essa vida urbana não durou muito tempo. Em 1968, aos 27 anos, retornou com a família ao Paraná, dessa vez para os lados de Alto Piquiri, no oeste do estado.

Foi lá que conheceu Maria Helena, sete anos mais jovem, paulista de Valparaíso e filha de um dos maiores fazendeiros da região. Pecuarista e produtor de algodão, o futuro sogro contava com duas propriedades no Paraná e outra em Mato Grosso.

Na época, em seus primeiros passos na Igreja Católica, Parafuso fazia a catequese de um grupo de 70 filhos de trabalhadores rurais do município.

Aproveitava o curso, sempre aos domingos, para esbanjar os trechos da Bíblia decorados enquanto criança. Já durante a semana, o trabalho

Pioneiros do MST

era cortar o matagal de uma fazenda a 10 quilômetros da terra da namorada Maria Helena, então com 20 anos.

Parafuso se casou e logo brigou com o sogro.

Foi então tentar a sorte no interior de São Paulo.

***

Instalou-se em Jacareí, onde atuou como soldador e carpinteiro e viu nascerem os dois primeiros filhos. Nesse meio tempo, numa seqüência de quatro meses desempregado, deixou a família no Vale do Paraíba para trabalhar por 50 dias na construção de uma ponte da rodovia dos Imigrantes, ligação da capital paulista com o litoral sul do estado.

O próprio Parafuso não agüentava mais esse novo pinga-pinga. Depois da fuga do Espírito Santo, já tinha passado por Londrina, Iretama, Belo Horizonte, Alto Piquiri e Jacareí.

Mas outra oportunidade de mudança surgiu logo no fim de 1972. Uma rápida consulta à mulher fez Parafuso arrumar de novo as malas e, dessa vez, seguir para Araquari, no litoral norte catarinense, aonde chegou em 1º de janeiro de 1973 e de onde nunca mais saiu.

***

Em Santa Catarina, Agnor começou de fato sua militância na Igreja Católica. Foi presidente de uma associação de moradores de Araquari, ministro de uma paróquia do município e cooptado para atuar na área rural pelas Comunidades Eclesiais de Base, as CEBs.

Pioneiros do MST

Organizadas por agentes pastorais, como padres ou pessoas comuns preparadas pela Igreja, as CEBs eram um pilar àqueles que mal conseguiam escrever o próprio nome e tinham um histórico de migração, exploração no trabalho e expropriação de terras.

Nelas, os agricultores tinham espaço para o conforto religioso e para o aprendizado sobre seus direitos no campo. Novenas e missas dividiam o tempo com aulas de organização e de mobilização.

Foi nas CEBs, em 1976, que Agnor ganhou o apelido de Parafuso, por conta da semelhança com o irmão Prego, e ajudou a organizar a Comissão Pastoral da Terra no estado, criada um ano antes em nível nacional.

Nessa época, nas palestras organizadas nas comunidades de Araquari, Joinville, Guaramirim e no restante de Santa Catarina, Parafuso tinha uma marca: sempre citava a necessidade de organização dos trabalhadores rurais, deixando como exemplo as diferentes situações vividas por ele e pela família no Espírito Santo, em Minas Gerais, na Bahia e no Paraná.

Sem conceitos na cabeça, apenas com a prática, Parafuso estava com 36 anos quando, em 1978, foi escolhido pela Pastoral da Terra de Santa Catarina para representar os três estados do Sul num congresso da entidade em João Pessoa, na Paraíba.

Voltou de lá depois de uma semana.

Estava entusiasmado com os discursos de Leonardo Boff que havia ouvido, e não parou mais de ler e de falar sobre Karl Marx. Até os filhos e a mulher tiveram de agüentar as declarações apaixonadas daquele novo marxista.

Pioneiros do MST

**

Já como integrante nacional da Pastoral da Terra, Parafuso participou, em 1979, da assembléia bienal da entidade, em Goiânia.

No último dia de discussões, pediu a palavra e fez uma proposta aos bispos e demais assessores presentes: que, na assembléia seguinte, dois anos depois, um grupo de estudo fosse criado para discutir internamente a organização dos trabalhadores rurais do país.

A sugestão de Parafuso foi aprovada e, na assembléia de 1981, o grupo foi de fato criado. Para discutir o tema, Parafuso e um grupo de cerca de 20 pessoas se acomodaram debaixo de uma mangueira, onde conversaram até o início da madrugada.

Ali, além de bispos e de assessores da entidade, como João Pedro Stedile, havia representantes de trabalhadores rurais de diferentes pontos do país, como Itaipu, Tucuruí, Encruzilhada Natalino e Ferrovia do Aço.

Na época, Parafuso via com entusiasmo a reorganização dos sindicatos e os primeiros passos do Partido dos Trabalhadores, criado um ano antes. Assim como outros ali presentes, sentia faltar no cenário nacional algo representativo dos lavradores sem terra.

Daquele grupo da mangueira e daquela assembléia saiu a decisão da Pastoral da Terra de organizar seguidas reuniões com trabalhadores rurais. O objetivo era construir uma organização nacional dos sem-terra, não necessariamente por meio de um novo movimento.

A primeira dessas reuniões de articulação regional ocorreu em julho de 1982, em Medianeira, no Paraná, com a participação de representantes do Rio Grande do Sul, de Santa Catarina, do Paraná, de Mato Grosso do Sul e de São Paulo, entre os quais, Parafuso e Jandir Basso.

Pioneiros do MST

Lá, entre outros pontos, definiu-se a organização de comissões nos sindicatos, a articulação entre os movimentos existentes e a realização de encontros estaduais e regionais dos sem-terra.

Aquele ficou conhecido como o Encontro Regional do Sul, sucedido dois meses depois por uma assembléia organizada pela Pastoral da Terra. No Centro de Formação da Diocese de Goiânia, os 22 agentes da entidade e líderes de trabalhadores rurais de 17 estados deram mais um passo para a criação de um movimento nacional.

Alguns dos presentes, porém, ainda defendiam a manutenção da Pastoral da Terra como representante de fato da organização dos lavradores.

"Nós trabalhadores somos vítimas de um sistema que está voltado para o interesse das grandes empresas e dos latifundiários. Se não nos organizarmos em nossos sindicatos e associações de classe, em nossas regiões, nos estados e em nível nacional, [...] para confrontar essa realidade que hoje escraviza os fracos, [...] nunca iremos nos libertar dessa vida de explorados e de verdadeira escravidão", diz um dos trechos da chamada Carta de Goiânia, de 26 de setembro de 1982, produto final daquela assembléia.

A partir disso, já com um caminho idealizado, ocorreram ainda encontros regionais dos sem-terra em Fátima do Sul, Mato Grosso do Sul, e em Araçatuba, São Paulo.

Sempre com a presença de agentes da Pastoral da Terra, de sindicalistas e de líderes dos sem-terra, esses encontros serviram para a organização do Primeiro Encontro Nacional dos Trabalhadores Rurais Sem Terra, em 1984, em Cascavel, quando o MST foi oficialmente criado. Parafuso esteve em todos eles.

Pioneiros do MST

***

Parafuso não guarda em casa nada de documentos ou anotações do MST e da Pastoral da Terra. Chegou a organizar um pequeno acervo pessoal na década de 1980, mas resolveu queimar toda a papelada bem no início do governo Fernando Collor, em 1990, quando a criminalização federal atingiu em cheio os líderes dos sem-terra.

O governo Collor foi considerado um "batismo de fogo". Hoje, líderes do MST avaliam que, se Collor tivesse cumprido todo o mandato, o movimento poderia ter sido destruído.

"Queimei coisas que não deveria queimar. Mas a repressão era muito forte", lembra Parafuso.

Virou cinza, por exemplo, o bloco de anotações sobre a invasão da fazenda Santa Idalina, em abril de 1984, que teve entre os sem-terra a jovem Santina Grasseli.

Aquela ocupação havia ocorrido na madrugada do dia 29. Horas depois, em Araquari, sem a menor idéia do que acontecia em Mato Grosso do Sul, Parafuso trabalhava na construção de um poço, na terra de um vizinho.

A abertura do buraco foi interrompida quando um dos filhos, esbaforido, avisou-lhe que um padre de Joinville o aguardava na porta de casa, a alguns minutos dali. Parafuso deixou o serviço de lado e correu para ver do que se tratava.

Assim que colocou os pés em casa, o padre pediu pressa a Parafuso pois, em alguns minutos, alguém voltaria a procurá-lo pelo telefone da paróquia.

Entraram no carro e seguiram para Joinville.

Não deu cinco minutos, e o telefone tocou. Era uma ligação de João Pedro Stedile, direto de São Paulo, da Secretaria Nacional do MST. O recado foi rápido e direto.

— Parafuso, você tem de correr urgente lá pra Mato Grosso do Sul e resolver aquele rolo da ocupação.

Houve tempo apenas para voltar a Araquari, arrumar uma muda de roupas e se mandar para Ivinhema. O trabalho no poço ficaria para o retorno.

Três dias após a ocupação, quando as famílias tinham acabado de deixar a área, Parafuso chegou ao estado.

Recém-despejadas e sem nenhuma experiência com esse tipo de enfrentamento, aquelas famílias tiveram a ajuda de Parafuso para escolher a coordenação do acampamento e, a seguir, se dividir em diferentes equipes, como educação, saúde, barracos, alimentação, segurança, animação, religião e lazer. As equipes, presentes até hoje nos acampamentos

Pioneiros do MST

do MST, são o fruto das experiências trazidas da Encruzilhada Natalino, no início da década de 1980.

Parafuso voltou oito dias depois para Santa Catarina.

* * *

Os arquivos pessoais estavam queimados quando, em 1990, no primeiro ano do governo Collor, Parafuso ajudou a organizar a invasão da fazenda Carrapatinho, no município de Garuva, na divisa com o Paraná.

A área foi ocupada por cerca de 60 famílias no início da manhã de 1º de junho. Eram em sua maioria lavradores do MST oriundos do oeste catarinense.

A invasão foi tranqüila, e Parafuso retornou à sede do Sindicato dos Trabalhadores Rurais de Guaramirim, ao lado de Araquari. Por lá, antes do meio-dia, enquanto preparava um rolo de lona para usar na montagem do acampamento, recebeu um telefonema de Brasília. Um representante do governo federal buscava informações sobre a morte de um fazendeiro na ocupação daquela manhã.

Apreensivo, Parafuso disse não saber de nada, desligou o telefone e correu de volta à fazenda Carrapatinho, a cerca de 70 quilômetros do sindicato. Chegou ao local da invasão em menos de uma hora e, assim que desceu do carro, foi informado do assassinato do fazendeiro.

Aos poucos, a entrada da propriedade foi sendo cercada por dezenas de policiais vindos de Joinville, a meia hora de lá.

Não havia mais como deixar o acampamento sem passar por um pente-fino. Naquele momento, Parafuso já havia recebido um relato

Pioneiros do MST

completo do crime. O assassino era um sem-terra de 19 anos, do oeste do estado, chamado Dirceu.

A rápida história contada a Parafuso pelos líderes do acampamento era que o jovem havia descarregado cinco tiros no fazendeiro após tê-lo visto ferir à bala o braço de um sindicalista presente na ocupação.

Parafuso saiu em busca de Dirceu. Localizou-o encolhido, quase chorando, no meio de um matagal.

— O que eu faço, Parafuso?

— Onde está a sua roupa? Os seus documentos?

— Lá embaixo, na barraca do meu tio.

— Espere aqui, garoto. Já volto.

Sem chamar a atenção da polícia e dos demais acampados, Parafuso recolheu os documentos e algumas peças de roupa de Dirceu e correu de volta ao matagal daquela fazenda de 2.200 hectares.

Lá, sacou do bolso 250 cruzeiros e entregou tudo a Dirceu. Pediu que ele se acalmasse e seguisse pelos fundos da fazenda, até cair na primeira rodovia. De lá, pegaria carona até a rodoviária de Joinville e, depois, um ônibus direto para São Paulo.

— Guarde este endereço. É o da secretaria do MST lá em São Paulo. Eles vão te ajudar... Agora se manda.

Dirceu sumiu no meio do mato. Parafuso telefonou no mesmo dia para São Paulo e passou as coordenadas daquele jovem sem-terra.

Da capital paulista, Dirceu foi enviado pelo movimento ao Pontal do Paranapanema, foco de conflitos de terra no extremo oeste do estado, onde mudou de nome, virou assentado da reforma agrária, casou e teve filhos.

***

Pioneiros do MST

Parafuso chegou a Araquari em janeiro de 1973, mas somente em abril de 1981, às vésperas de completar 40 anos, conseguiu o próprio pedaço de terra. O pai, viúvo, seguiu para Rondônia, e a diocese de Joinville cedeu um pedaço de terra a Parafuso. Três hectares que poderiam ser explorados como e por quanto tempo ele quisesse.

A terra tornou-se oficialmente dele desde então.

O início por lá foi bem complicado. Tudo era um grande matagal. Nos fundos da chácara havia apenas uma oca, até então ocupada por índios guaranis, e que também servia como abrigo para encontros locais das Comunidades Eclesiais de Base.

A oca tinha uma cozinha, um banheiro e um dormitório, tudo improvisado e coberto com palha, além de uma ampla área aberta ao lado, onde ocorriam as reuniões.

Parafuso, Maria Helena e os seis filhos, um deles recém-nascido, viveram amontoados na oca por cinco meses, prazo que levaram para erguer a casa de alvenaria na entrada da chácara.

Na casa nova havia água e energia elétrica, além da segurança de uma estrutura com cimento, telhas e tijolos.

O problema deles estava na hora de dormir. Cercados pela mata, travavam guerras diárias contra exércitos de pernilongos.

Parafuso tinha três táticas para enfrentá-los.

A primeira, pouco eficaz, era encará-los à base de chineladas. Matava uns e sobravam muitos outros. A segunda opção era fazer pequenas fogueiras do lado de fora da casa, exatamente embaixo de cada uma das janelas. Os pernilongos não entravam, mas a fumaça deixava marcas pretas nas paredes, o que irritava Maria Helena.

Pioneiros do MST

A terceira tática era encher um balde com lascas de madeira, atear fogo e, com a ajuda de uma vassoura, espalhar aquela fumaceira no interior da casa. Os pernilongos eram eliminados, mas ninguém conseguia dormir até que a fumaceira abaixasse.

O fim da guerra só veio quando Parafuso instalou telas em todas as janelas da casa e determinou à família que todos, depois das cinco da tarde, tratassem de mantê-las devidamente fechadas, assim como a porta de entrada.

Resolvido o problema com os mosquitos, Parafuso tinha de cuidar de sua terra. Havia por lá muito mato para cortar e muita terra para cultivar. Para desespero de Maria Helena, os primeiros anos na chácara coincidiram com os primeiros anos de criação e organização do MST.

Parafuso, assim como os colegas Geraldo dos Santos, Santina Grasseli e Jandir Basso, não parava mais em casa. Deixava a família e

viajava a qualquer momento para participar de reuniões do movimento no interior catarinense, em São Paulo e em Brasília.

Não foram poucas as vezes que, depois de seguidos dias longe da família, Parafuso chegou em casa e viu os filhos sem terem o que comer. A produção na chácara era zero, e o jeito era sair pedindo ajuda aos vizinhos.

Uma dessas longas viagens ocorreu no fim de 1984, primeiro ano de vida do MST. Parafuso foi ao México representar o movimento num congresso de camponeses.

Foram 30 dias de viagem. Na terceira semana longe de casa, Parafuso telefonou para Araquari. No primeiro minuto de conversa com Maria Helena ele recebeu a notícia de que uma enchente na região havia destruído todas as recentes plantações de feijão e de repolho. Tudo estava debaixo d'água.

Parafuso voltou do México, mas continuou longe de casa. Participou do primeiro congresso nacional do MST e prosseguiu a rotina de viagens e mais viagens. Havia ainda a militância no PT. Em 1982, foi candidato a deputado federal. Quatro anos depois, disputou uma vaga na Assembléia Legislativa de Santa Catarina. Em ambas, só ganhou experiência.

Na época, como a produção era nula na chácara, o que garantia parte do sustento da família era o trabalho de Maria Helena. Ela lavava as roupas de cama de boates e motéis da "rodovia do amor" e ainda ganhava uns trocados para tomar conta (por dias, semanas e até meses) dos filhos recém-nascidos de prostitutas da região.

Parafuso recebia uma simbólica ajuda de custo do MST e, quando estava em Araquari, trabalhava na construção de poços e na roça dos vizinhos. A motivação dele estava mesmo no movimento.

Pioneiros do MST

Ele se orgulha de, naquela época, ter formado em Santa Catarina líderes dos sem-terra como Jaime Amorim, enviado a diferentes estados do Nordeste, até se fixar em Pernambuco, e Ademar Bogo, um dos principais ideólogos do movimento e hoje no sul da Bahia.

Enquanto isso, Maria Helena vivia em dificuldades dentro de casa. Filha de fazendeiro, apoiava a disposição de luta do marido, mas estava cansada daquele sofrimento.

Um dia ela deixou isso claro:

— Não dá pra continuar vivendo desse jeito. Não tenho o que colocar na mesa.

Esse desabafo veio em dezembro de 1987.

Dias antes, de novo para tratar de questões do MST, Parafuso teve de viajar às pressas para Minas Gerais e depois para a Bahia.

Quando retornou a Araquari, três dias antes do Natal, mais uma vez a mulher não tinha o que dar de comer aos filhos. Foi aí que ouviu o que não queria e teve de pedir um empréstimo urgente a um amigo de Joinville.

Com o dinheiro, Parafuso comprou comida para dois meses, organizou uma ceia de Natal e ainda conseguiu comprar um presentinho para cada um dos seis filhos, quatro meninos e duas meninas.

A cara amarrada da mulher e o susto às vésperas do Natal fizeram Parafuso pegar no pesado. Cortou muito mato nos sítios vizinhos, cuidou da própria terra e conseguiu, em dois meses, juntar o valor do empréstimo. Na hora de acertar as contas, o amigo rejeitou. Disse que Parafuso poderia investi-lo na chácara como quisesse.

Aos poucos ele terminou a casa, com sala, cozinha, três quartos e lavanderia. Em 1992 a família aumentou. Parafuso e Maria Helena adotaram a filha de uma prostituta da região, deixada na chácara com apenas 12 dias de vida.

***

A produção cresceu de fato a partir de 2001 e se tornou referência na região. Parafuso, os filhos e um genro abastecem os pequenos mercados da região com alface, rúcula, salsa e cebolinha.

Todas as manhãs, a caminhonete F-1000, ano 1989, sai carregada de ervas e verduras para Joinville. De rúcula, por exemplo, são colhidos entre 150 e 200 maços todos os dias.

Maria Helena tem a sua própria hortinha, ao lado da casa. Nos fins de tarde, entre o vaivém de cachorros, gatos e galinhas, ela e a filha Rafaela, de 15 anos, colhem o manjericão e o separam em porções, colocadas a seguir em tigelas de isopor, cobertas com plástico e depois vendidas.

Parafuso é hoje apenas um observador da produção. Com o coração dilatado, desde 2004 ele é submetido todos os dias a doses de digoxina. Por conta disso, foi obrigado a largar a cachaça.

Dos sete filhos, apenas dois não vivem na chácara. Uma estudou medicina em Cuba e agora trabalha em Fortaleza, Ceará. Outro optou pelo jornalismo e é militante do MST em Abelardo Luz, no oeste catarinense. Na horta trabalham três filhos, dois deles formados em música. O outro é engenheiro agrônomo. Parafuso e Maria Helena têm ainda uma filha professora.

Além de gerenciar a chácara e o trabalho dos filhos, Parafuso vive para cima e para baixo em reuniões do MST. Ele é uma espécie de conse-

Pioneiros do MST

lheiro nacional do movimento e tem a função de aproximar os sem-terra dos movimentos urbanos por meio de palestras em universidades, favelas, associações e sindicatos.

Vive de uma ajuda de custo paga pelo MST e da aposentadoria conquistada pelos anos de trabalho no sindicato de Guaramirim. Ainda organiza algumas ocupações de terra pelo estado afora.

Uma das últimas ocorreu na Semana Santa de 2007. Em sua chácara, Parafuso reuniu cerca de 20 líderes estaduais do movimento para uma confraternização de Páscoa.

Na conversa, em meio a goles de cerveja e a garfadas numa moqueca capixaba preparada por um dos filhos, veio a definição do dia, do horário e do ponto de encontro dos sem-terra para a invasão de uma área do exército.

A ação de fato ocorreu. Dez dias após o almoço, numa madrugada, o MST invadiu a propriedade, de 10 mil hectares, em Papanduva, no norte do estado. Tratou-se apenas de um ato de provocação, pois na tarde do mesmo dia todos deixaram a área.

A religiosidade desapareceu. O menino que decorava a Bíblia sob as ordens enérgicas do pai hoje se diz um homem sem religião. "Tem muita falsidade nos credos religiosos. Não acredito nesse tipo de deus que a turma fala. Acredito na justiça."

Pioneiros do MST

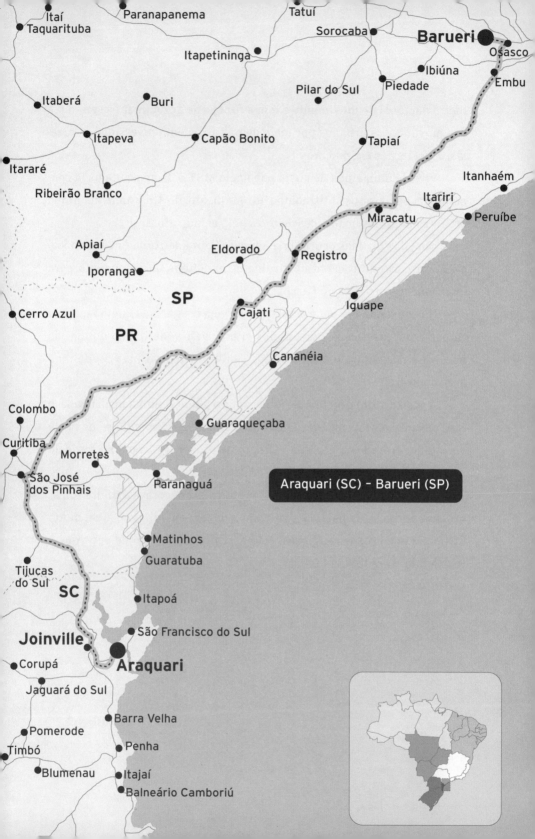

"Quero que esse mesmo Deus que existe na Bíblia me mostre agora que ele existe mesmo de verdade."

Santos Luiz Silva
No final dos anos 1990, desempregado e recém-diagnosticado com doença de Chagas.

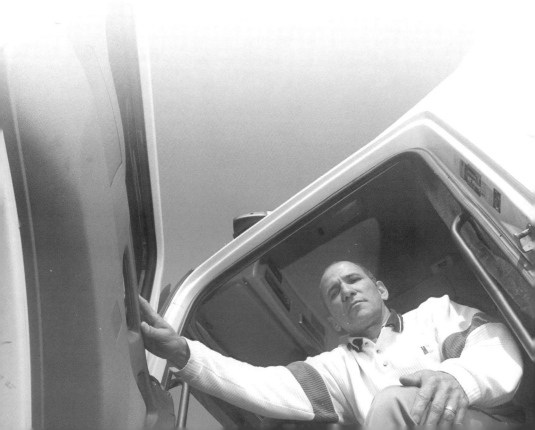

Entre a catarinense Araquari e a paulista Barueri foram 540 quilômetros. A cidade, na região metropolitana de São Paulo, fica a exatos 26 quilômetros do centro da capital.

Aos 50 anos, Santos Luiz Silva vive num estreito e inacabado sobradinho localizado no limite do município com o vizinho Osasco.

O bairro, o Parque Imperial, é cortado ao meio pelo rodoanel Mário Covas, com acesso rápido a rodovias como Régis Bittencourt, Castello Branco, Anhangüera e Bandeirantes.

Com casas amontoadas no alto de um morro, o Parque Imperial já foi um dos bairros mais violentos da região, mas acabou diretamente beneficiado pela construção de condomínios de luxo ao seu redor.

Para que a insegurança não respingasse nos vizinhos milionários, a polícia limpou a área. O bairro onde Santos vive ganhou policiamento ostensivo, 24 horas por dia.

Santos está ilhado pelas mansões.

A 200 metros do sobrado há um muro, sempre muito bem vigiado, que separa o Parque Imperial do residencial Tamboré, um condomínio fechado, dividido em lotes, com residências de alto padrão que não saem por menos de 1 milhão de reais.

Pioneiros do MST

A infra-estrutura também melhorou por conta dos condomínios luxuosos. Redes de esgoto e córregos, contam os moradores, foram recuperados para que, mais uma vez, nada respingasse nos lotes milionários do outro lado do muro. Esgoto no Parque Imperial seria mau cheiro no condomínio de luxo.

Mas no bairro ninguém reclama desse contraste.

De lá não param de sair ônibus e lotações cheios com mão-de-obra para esses condomínios. Na família de Santos há dois exemplos disso. A mulher dele, Porfíria, trabalhou por quatro anos numa mansão de Alphaville. Fazia de tudo por lá: lavava, passava, cozinhava e cuidava das crianças da casa. Hoje é a filha Cléia, de 24 anos, que atua como doméstica no condomínio de luxo ao lado.

Santos chegou ao bairro em 1995, depois de ter fugido das dificuldades do norte de Minas Gerais.

– Os ricos moram no Alphaville, e eu no Alphavela – brinca.

***

Santos e seus 12 irmãos nasceram em Salinas, no norte mineiro. Lá, cresceu na propriedade do pai, a fazenda Cercadinho, ainda hoje nas mãos de alguns familiares.

Não havia escola por perto. Um jovem da região, contratado pelo pai, ensinou Santos e os irmãos até o equivalente à quarta série do primário. A infância e a adolescência foram de fato passadas na roça.

Santos mexia com gado, porcos, café, feijão e mandioca, plantava arroz na terra dos vizinhos e vendia a produção de laranja. Até fez uns bicos como carpinteiro.

Pioneiros do MST

A rotina na terra dos pais durou até os 21 anos. Santos queria sair de casa, buscar novos desafios. Seu sonho era trabalhar em São Paulo, mas o que conseguiu mesmo foi a chance de disputar uma vaga de tratorista em São João do Paraíso, município mineiro colado à divisa com a Bahia, a 120 quilômetros de Salinas.

Santos conseguiu logo o sonhado emprego. Passou a atuar numa empresa prestadora de serviços da principal reflorestadora da região. E foi justamente nesse cargo que descobriu as degradantes condições de trabalho dos lavradores no corte da mata e no plantio de novas mudas de eucalipto.

Do trator, enquanto arava terra e derrubava mato, Santos via a exploração de quase 2 mil bóias-frias. Não havia segurança no trabalho: lidavam sem luvas e sem máscaras com o veneno usado para matar formigas, e eram jogados em paus-de-arara na ida e na volta à sede da empresa.

Em São João do Paraíso não havia sindicato de trabalhadores rurais. Cartão de ponto e alimentação digna também eram sonhos que pareciam distantes para aqueles lavradores.

A idéia do sindicato veio no fim da década de 1970. Santos e alguns amigos criaram uma associação provisória, oficializada somente em 1982, ano em que se casou.

Na primeira diretoria da entidade, Santos assumiu a tesouraria. Ficou cuidando do dinheiro até 1986, quando se tornou presidente do sindicato. Meses antes, foi contratado pela reflorestadora, considerada inimiga número um dos sindicalistas e dos lavradores do município. Detalhe: o patrão não sabia que Santos atuava no sindicato.

Todos os dias, entre sete da manhã e quatro e meia da tarde, Santos passava por cima da mata fechada de cerrado com um possante trator de esteira de aço.

Pioneiros do MST

Ele conheceu bem a realidade local e, com a ajuda da Federação dos Trabalhadores na Agricultura de Minas Gerais, definiu-se pela greve dos funcionários da reflorestadora. A reunião decisiva, no sindicato, terminou por volta das onze da noite, quando Santos deu duas orientações aos presentes.

Primeiro: a decisão pela greve deveria ser mantida sob sigilo e deflagrada somente após o próximo pagamento, isso porque ninguém sabia quanto tempo a paralisação iria durar. Portanto, seria melhor iniciá-la com dinheiro no bolso.

Segundo: nos dias seguintes ao recebimento dos salários, seria fundamental iniciar a paralisação depois de 48 horas de chuva. Era justamente nessas condições, com a terra bem molhada, que a reflorestadora enchia os caminhões com novas mudas. Com a greve, a empresa teria pressa de negociar para não ver as plantas morrerem nas carrocerias.

– Não vamos parar de bobeira. Saiu o pagamento, caiu a chuva, vocês param – disse Santos naquele fim de noite.

A greve de 1983 aconteceu como Santos esperava. Foi rápida, com solução no terceiro dia, e produtiva, com a maioria das reivindicações atendidas, entre as quais o cartão de ponto, a readmissão de funcionários, o transporte seguro e equipamentos para lidar com o veneno. Até bebedor de água os bóias-frias ganharam da reflorestadora.

O único entrave foi a situação de Santos na empresa. No primeiro dia da paralisação ele foi chamado na gerência. Ali, frente a frente com o superior, primeiro foi informado da surpresa dos patrões pelo fato de liderar aquela greve. Depois, na mesma conversa, ouviu que, durante seis meses, a partir do dia seguinte, ele teria de prestar serviços à empresa na filial de Correntina, no oeste da Bahia, a 500 quilômetros de São João do Paraíso.

Pioneiros do MST

Santos rejeitou a armação da empresa, lembrou da "estabilidade" dele como presidente do sindicato, mas nada disso adiantou. Foi demitido no ato, ainda com a greve em curso.

O jeito foi entrar com uma ação na Justiça trabalhista com pedido de reintegração no cargo. Enquanto isso, desempregado, passou a receber uma ajuda de custo do sindicato. Ficou assim por três anos, até que a decisão judicial lhe rendeu uma gorda indenização.

Com o dinheiro, comprou uma casa de três quartos, um terreno e uma motocicleta, além de ter bancado uma cervejada para os amigos do sindicato. A decisão da Justiça trabalhista ainda lhe deu o direito de retornar à empresa no mesmo cargo de tratorista. Mas Santos não quis. Aceitou um acordo em dinheiro com a reflorestadora, valor logo investido na compra de um Corcel.

***

A oportunidade de integrar a primeira direção nacional do MST surgiu no fim de 1984, quando Santos ainda atuava como tesoureiro do Sindicato dos Trabalhadores Rurais de São João do Paraíso. A coordenação provisória do movimento buscava representantes em diferentes estados, e Santos tinha o perfil procurado: disposição e liderança.

Foi dessa forma que, em janeiro de 1985, ele enfrentou os 1.700 quilômetros entre São João do Paraíso e Curitiba para participar do primeiro congresso nacional do movimento. Uma semana depois ele saiu do Paraná não apenas com o cargo de diretor, mas também como integrante da Executiva Nacional do MST.

Na época, dos 20 primeiros diretores, a metade foi escolhida ou se habilitou a participar dessa executiva. Nesse seleto grupo, Santos teria a companhia de Darci Maschio, pelo Rio Grande do Sul, Santina Grasseli, pelo Mato Grosso do Sul, e de outros sete companheiros de sete diferentes estados do país.

Na prática, o integrante da executiva era o que mais se desdobrava. Não parava de viajar e tinha sempre de ficar à disposição do movimento para uma infinidade de situações.

Santos, assim como Santina, durou muito pouco nessa função. Percebeu que cada saída da isolada São João do Paraíso significava, pelo menos, cinco dias longe de casa. A situação da família não era confortável, e ele não recebeu o apoio logístico que esperava naquele momento.

O dinheiro sempre contado, o vaivém pelo estado e os deslocamentos para reuniões em São Paulo duraram um ano e meio. Com a pressão da família, Santos pediu licença do MST, voltou os olhos apenas ao sindicato e não mais atuou na organização do movimento.

***

A saída do marido do MST não livrou Porfíria e os filhos das conseqüências da militância. Na presidência do sindicato, Santos transformou a própria casa numa subsede dos trabalhadores rurais do município.

Nos fins de noite e nas madrugadas, quando o sindicato já estava de portas fechadas, sobrava para a campainha da casa de Santos. Era comum Porfíria e os três filhos, um deles recém-nascido, acordarem com pedidos de ajuda.

Tinha de tudo nas madrugadas: lavrador que tinha perdido a carteirinha do sindicato, produtor reclamando da invasão do gado do vizinho no pasto, sem-terra chorando com a prisão do amigo bêbado e até bóia-fria pedindo ajuda para tratar de algum familiar doente.

Santos colocava alguns deles para dentro de casa e permitia que dormissem por lá mesmo, num canto da sala. No dia seguinte, depois do café, iam todos juntos ao sindicato.

Numa dessas madrugadas de toque-toque de campainha, Porfíria resolveu desabafar. Disse o que sentia ao marido.

— O que eu ganho com isso? O que nós ganhamos com isso? Você tem que arrumar um jeito desse povo te dar um sustento melhor.

Na época, Santos estava em litígio com a reflorestadora e vivia com uma ajuda de custo do sindicato. Já Porfíria tinha acabado de ser demitida. Trabalhara quatro meses costurando sacos de café, até o dia em que o patrão descobriu que se tratava da mulher do presidente do sindicato.

Pioneiros do MST

ALPHAVELA

***

Santos ganhou a ação trabalhista, terminou o mandato na presidência do sindicato e conseguiu o emprego de motorista em outra reflorestadora do município.

O novo patrão era um velho conhecido dos tempos de sindicato. Aquele do tipo que não via problema em sentar à mesma mesa com os funcionários e com os sindicalistas para discutir, um a um, os itens de uma pauta de reivindicações.

Com essa proximidade, Santos aproveitou para fazer algumas exigências antes de aceitar o emprego, mesmo sabendo que estava ali a chance de fazer algo com que sonhava desde os tempos de criança: ser motorista de caminhão.

O ex-presidente do sindicato e líder da maior greve que o município já tinha visto pediu e recebeu um caminhão equipado com bancos devidamente fixados na carroceria, cobertura completa de lona e sistema de freios em boas condições.

Todos os dias, às cinco horas da manhã, Santos saía de casa com esse Mercedes-Benz amarelo, modelo 1982, e passava de ponto em ponto recolhendo lavradores na zona rural do município, para deixá-los na sede da reflorestadora.

Eram 25 quilômetros no início da manhã e a mesma distância no fim da tarde. Em dias de chuva, o caminhão deslizava pela estrada de terra, pendia para um lado e para o outro, mas no máximo derrubava alguns metros de cerca das fazendas.

Sentados na carroceria, os bóias-frias se sentiam seguros nas mãos de Santos, uma espécie de motorista sindical.

Pioneiros do MST

O ex-dirigente nacional do MST permaneceu quase três anos nesse vaivém diário com os lavradores. Só largou o volante do caminhão amarelo para arriscar um outro sonho: conseguir um emprego em São Paulo.

Sozinho, ficou um mês na casa de um cunhado em Carapicuíba, na região metropolitana da capital. Não conseguiu nada e retornou com outras idéias a São João do Paraíso.

Em 1992, já filiado ao PT, decidiu disputar uma vaga na Câmara Municipal. Registrou a candidatura como "Santos do Sindicato", vendeu um carro para custear a campanha e espalhou cartazes com a foto dele pelo município.

Nas urnas o resultado foi pífio, e Santos virou motorista de novo. Por seis meses, num ônibus da prefeitura, transportou estudantes adolescentes pelos 30 quilômetros entre Ninheira e um colégio no centro de São João do Paraíso.

Santos permaneceu mais algum tempo como motorista da prefeitura. Agora estava ao volante da ambulância da cidade. A tarefa dele era sair correndo com doentes em estado grave para Belo Horizonte. Fazia em cinco horas o trajeto de 620 quilômetros.

Da capital mineira, quando os médicos não davam conta do doente, muitas vezes era obrigado a retornar com um morto na traseira do veículo.

Nessas viagens, Santos adquiriu um hábito inusitado: guiar com um facão em cima do banco de passageiros. Tinha medo de que aquele corpo enrolado num pano branco, como se fosse uma múmia, pudesse ressuscitar e atacá-lo a qualquer momento.

– Mas nunca precisei puxar o facão – brinca.

***

Numa dessas idas a Belo Horizonte, em setembro de 1995, já com a ciência da prefeitura e da família, Santos deixou a ambulância com um amigo e, da rodoviária da capital mineira, seguiu de ônibus mais uma vez para São Paulo.

A mulher Porfíria e os filhos Róbson, então com 14 anos, Cléia, 12 anos, e Djalma, com 8, embarcaram somente cinco meses depois, em fevereiro de 1996, quando Santos enfim conseguiu um emprego, dessa vez de vigilante noturno.

O trabalho era numa área nobre de São Paulo. Com um carro da empresa de segurança privada, fazia a vigília de 17 ruas do Alto de Pinheiros. A jornada era das dez da noite até as seis da manhã. Tinha de ficar de olhos atentos especialmente nas residências de dois políticos tucanos, José Serra e Sérgio Motta.

O emprego era fixo, com carteira assinada, mas em casa a situação era precária. Santos, a mulher e os três filhos viviam de favor no porão de familiares, no município de Barueri, na Grande São Paulo. Em troca, como não pagava aluguel, Santos bancava as contas de água e de luz da casa.

Naquele cubículo, tudo era improvisado. Caixas de papelão, por exemplo, serviam como armários para guardar as roupas da família. Já Santos, com o trabalho pela madrugada, mal conseguia dormir durante o dia. A claridade e o barulho das crianças o incomodavam.

Mas tanto Santos como Porfíria estavam longe de sentir saudades da vida de São João do Paraíso. Em Barueri, apesar das sérias dificuldades, todos tinham roupa e comida, ao menos.

***

Tudo ia bem até o fim de 1999, quando uma série de fatores levou Santos ao desespero.

Na rotina de doar sangue num hospital de São Paulo, recebeu a notícia de que estava com doença de Chagas. A conseqüência imediata foi o estresse, seguidos mal-estares, sensação recorrente de tontura e, por fim, a demissão do emprego, por ter cochilado ao volante e batido contra um muro ao volante do veículo da empresa.

Pela primeira vez na vida, Santos se apavorou.

Aquele homem que organizava greves e cedia um espaço da casa para os lavradores de São João do Paraíso estava sem rumo no centro mais populoso do Brasil.

No auge da angústia, desempregado e condenado por conta da incurável doença de Chagas, fez um desabafo a Porfíria:

— Quero que esse mesmo Deus que existe na Bíblia me mostre agora que ele existe de verdade.

Pioneiros do MST

Até então, ao contrário da maioria dos companheiros com quem convivera no MST, Santos nunca tinha levado muito a sério a religião. Católico como os pais, chegou a freqüentar a igreja de Salinas e, nos tempos de sindicato, fez amizade com padres da Pastoral da Terra. Mas sempre teve dúvidas sobre os chamados poderes da fé.

Dessa vez, procurou a Igreja Universal do Reino de Deus. Ouviu as palavras de um bispo e virou evangélico. Passou a acreditar que todo o destino dele estava nas mãos de Deus e que, mais cedo ou mais tarde, seria recompensado pela fé.

Foi assim, com a certeza de que a fé o movia, que passou a eliminar um a um os seus obstáculos.

Primeiro, descobriu que não tinha doença de Chagas. Não sabe se o primeiro diagnóstico estava equivocado ou, como prefere acreditar, se foi curado por um milagre.

O segundo obstáculo foi ultrapassado por meio de uma prática que não utilizou nem como diretor nacional do MST nem como presidente do sindicato de São João do Paraíso: a invasão.

O alvo escolhido foi um terreno colado à casa em que vivia de favor com a família. O mesmo espaço de terra que, por anos e anos, Santos olhou com indiferença.

Certo dia, naquela mesma posição, com os braços apoiados no muro, enxergou um grande latifúndio. Na cabeça dele, muito mais do que uma sobra de terreno usada como passagem para as águas das chuvas vindas das ruas mais altas do Parque Imperial. Estava ali, na frente dele, uma terra improdutiva a ser ocupada.

Santos pulou o muro, cortou o mato e, num terreno de 8,5 metros de largura por 17 metros de profundidade, construiu uma casa com três quartos, varanda, despensa, sala e cozinha. Parte do dinheiro investido veio com a venda da antiga casa de São João do Paraíso.

A nova casa, hoje em fase de acabamento e já regularizada pela prefeitura, foi o segundo obstáculo vencido pelo evangélico Santos. O terceiro, depois de alguns talões de cheques sem fundo e curtas passagens em alguns empregos, foi a vaga de motorista numa grande transportadora de São Paulo.

Santos está lá desde o início de 2006. Com a carteira de trabalho assinada, como quase todo sindicalista faz questão, o ex-motorista de trator, de ônibus escolar e até de ambulância agora comanda um Mercedes-Benz branco, com seis cilindros e dois eixos traseiros.

Pioneiros do MST

São pelo menos três viagens por mês. Os destinos mais comuns: Brasília, Goiânia e Campo Grande, com a carroceria baú carregada de produtos eletrônicos, eletrodomésticos, medicamentos ou algum tipo de veneno.

A viagem mais longa foi a Alta Floresta, na Amazônia mato-grossense. Foram dez dias longe da família, para levar veneno de matar formiga a uma fazenda em meio ao que ainda resta da selva, a 2.500 quilômetros de São Paulo.

Santos não se queixa. Não compara essas viagens com aquelas que fazia em tempos de executiva do MST. Agora, uma semana distante da mulher, dos filhos e do neto é como uma obrigação, parte de um serviço que sempre quis fazer.

A cada viagem, os trocados restantes das diárias se transformam em alguns retoques a mais na casinha do Parque Imperial.

Pioneiros do MST

Na boléia do caminhão, equipada com cama e ar-condicionado, sempre carrega uma Bíblia. "Em primeiro lugar está Jesus, depois a família e depois o trabalho", diz.

Nos deslocamentos a Mato Grosso e a Mato Grosso do Sul, Santos encontra tempo para encostar o caminhão à beira de um acampamento do MST, entre Dourados e Campo Grande. Lá, dá uma buzinada para anunciar a chegada, desce da boléia e toma café com leite com os acampados.

Na conversa, lembra dos tempos de sindicalista e de diretor nacional do movimento e deixa um recado de fé aos sem-terra. "Digo a eles que, se confiarem em Jesus e permanecerem unidos, terão mais condições de lutar e conquistar um pedaço de terra."

Barueri (SP) - São Mateus (ES)

Anticoncepcional

"Em Cascavel [na criação do MST] eu conheci um monte de gente xiita como a gente do sindicato. Era tudo aquilo que eu queria ouvir. Eu falei: 'Esses são os meus aliados.'"

Sílvio Manoel dos Santos

A próxima parada é em São Mateus. A partir de Barueri, na região metropolitana de São Paulo, foram 1.140 quilômetros até o município, no litoral norte espírito-santense.

Sílvio Manoel dos Santos, aos 65 anos, vive numa comunidade quase toda formada por negros. Muitos deles se consideram descendentes de quilombolas.

Negro, filho de pequenos agricultores, Sílvio nasceu ali mesmo, em São Mateus. Seu pai era dono de uma pequena propriedade à beira-mar, mas se desfez do terreno em dezembro de 1942, quando Sílvio tinha apenas sete meses de vida.

Seguiram todos para uma comunidade distante 10 quilômetros do centro do município, no meio da mata fechada. Sílvio e seis irmãos cresceram na roça e longe da escola.

A BR-101, que hoje corta o município e liga São Mateus ao Rio de Janeiro e a Salvador, não existia. Só chegaria por lá na década de 1970. Por conta disso, pelo menos uma vez por semana o pai de Sílvio seguia a pé pela única estrada de barro até a cidade para comprar o que a família não conseguia produzir na terra.

Com o passar dos anos, a família foi comprando cavalos. Juntou cinco. Com eles, Sílvio, o pai e os irmãos transportavam a farinha de mandioca produzida na propriedade para vendê-la na cidade.

Os animais seguiam lentamente pela trilha, cada um deles com quatro balaios lotados de farinha. Levavam pelo menos duas horas e meia para percorrer o trecho de pouco mais de 10 quilômetros até o armazém, no centro de São Mateus. No trajeto, muito barro e mata densa.

No armazém, a negociação não envolvia dinheiro. O dono do estabelecimento ficava com toda a farinha, e o pai de Sílvio podia levar o valor equivalente em mercadorias. Havia de tudo um pouco no comércio, desde alimentos e querosene até peças de roupa.

Quando o valor da troca não coincidia, o pai de Sílvio ficava com um crédito anotado na carteirinha do comerciante ou assumia uma dívida de tantos quilos de farinha para a próxima semana.

Quase sempre ficava com a segunda opção.

***

Além da produção de farinha de mandioca, o pai e os filhos tocavam juntos uma pequena lavoura de subsistência e mantinham alguns porcos e algumas cabeças de gado no terreno. O trabalho na roça era pesado, principalmente cortar com o machado e depois queimar a madeira da propriedade.

Longe da miséria, levavam uma vida humilde.

A mãe, por exemplo, tinha apenas um vestido. Se quisesse usá-lo no dia seguinte, lavava a peça no início da noite, para que o calor típico e incessante da madrugada a secasse.

Pioneiros do MST

Sílvio foi calçar o primeiro par de sapatos aos 14 anos de idade. Quando criança, mal usava chinelo. Ficava descalço o dia inteiro.

Não havia escola por perto. Por isso, numa atitude comum em cidades do interior, o pai despachou a filha mais velha para a casa da madrinha, em Vitória, capital do estado, a 230 quilômetros.

Na cabeça do pai, quando aquela menina de 10 anos retornasse a São Mateus, já adolescente e alfabetizada, poderia fazer o papel de professora, ajudando os irmãos a ler e a escrever.

Quatro anos depois ela voltou à comunidade.

O pai, como havia planejado desde o início, organizou uma espécie de sala de aula num canto da casa de farinha da propriedade. Pregou na parede um quadro-negro de madeira feito por ele mesmo, comprou uma caixa de giz no armazém da cidade e obrigou os filhos a acompanharem as aulas da irmã professora.

Enciumado, assim como os demais irmãos analfabetos, Sílvio queria o mesmo privilégio da irmã, a chance de viver e estudar na cidade grande. Aos 8 anos de idade, assistiu a umas duas aulas e ajudou a transformar aquela sala de aula num ringue. Com o pai na roça, só brigavam com a professora. Ninguém mais estudou.

***

Em fevereiro de 1964, às vésperas de completar 32 anos e sem saber escrever o próprio nome, Sílvio se casou com Izaldina. De presente, ganhou dos pais um pedaço de terra com 25 hectares na mesma comunidade em que vivia.

Casado, adquiriu novos hábitos. Um deles foi o de freqüentar uma pequena igreja localizada nos arredores da comunidade, a pelo menos uma hora de caminhada de casa.

Logo nas primeiras visitas, o jeito descontraído e espontâneo de Sílvio chamou a atenção do padre, e, na paróquia, aquele agricultor analfabeto passou a receber uma atenção especial.

No convívio com os religiosos, aprendeu a ler, a escrever e a comer com garfo e faca. Até então, mantinha o costume trazido da casa dos pais de usar as mãos para fazer as refeições.

Sílvio logo se transformou, ou foi transformado, no líder da comunidade, recém-batizada de Divino Espírito Santo e até então dividida em três partes. Em seguida, sempre com o auxílio de padres de São Mateus, passou a militar em outras comunidades da região, no conselho paroquial e nas Comunidades Eclesiais de Base.

No início da década de 1970, viajava com freqüência para São Paulo, para o Rio de Janeiro e para Salvador para encontros promovidos pela Igreja Católica. Na época, sabia dividir bem a atuação nas comunidades e o trabalho na pequena propriedade.

***

Recém-alfabetizado pelos padres, Sílvio tinha no currículo apenas um curso de técnico agrícola, conseguido somente com a prática.

Mesmo assim foi admitido como agente da antiga Legião Brasileira de Assistência (LBA), entidade criada em 1942 para assistir as famílias dos soldados envolvidos na Segunda Guerra, mas que, ao término do confronto, passou a atender a população em geral.

Sílvio começou a receber dez salários mínimos. A função era promover ações comunitárias, ajudar os agricultores na preparação de hortas e fazer doações de roupas e colchões. A orientação dos superiores era priorizar a quantidade de pessoas atendidas. A qualidade do atendimento ficava sempre em segundo plano.

Aquele ramerrão não modificava a vida dos lavradores, e Sílvio sabia disso. Por isso, em 1980, ano em que já atuava na Pastoral da Terra, pediu demissão da LBA para articular a chapa de oposição no Sindicato dos Trabalhadores Rurais de São Mateus.

À época, tanto na Igreja como nos sindicatos da região, discutia-se muito a implantação das usinas de álcool e das chamadas reflorestadoras, empresas de papel e celulose que investem em plantações de eucalipto a perder de vista. Ambas têm como característica histórica problemas trabalhistas, transtornos ambientais e impulso ao êxodo rural.

No fim de 1981, a chapa encabeçada por Sílvio venceu as eleições, mas a posse na presidência do sindicato dos trabalhadores rurais só se daria no início do ano seguinte.

Nesse intervalo, houve tempo para que os antigos dirigentes da associação procurassem os recém-eleitos e propusessem uma diretoria mista. Não houve acordo.

– A gente era meio xiitinha mesmo e não quis nem conversa – diz Sílvio.

Até então, o sindicato era dominado por dirigentes aliados aos fazendeiros e às usinas de álcool e empresas de celulose de São Mateus.

A nova diretoria assumiu às vésperas do Carnaval de 1982. A primeira atitude foi jogar no lixo as placas colocadas sobre as mesas dos antigos dirigentes: "Entre somente quando autorizado."

Sílvio, o presidente, era um pequeno agricultor. O secretário, um bóia-fria. O tesoureiro, um meeiro.

Os três passaram os quatro dias do feriado trancados na sede do sindicato. Não tinham a menor idéia de como funcionava aquela estrutura, para que serviam aquelas pastas e como lidar com toda aquela papelada.

Logo na primeira semana, um ex-prefeito de São Mateus bateu na porta do sindicato. O político não conhecia Sílvio pessoalmente, mas já estava ciente de que trabalhadores rurais de fato estavam no comando. A visita dele foi uma provocação.

– Quem é o presidente do sindicato? Quero falar com ele.

– Sou eu mesmo – respondeu Sílvio.

– Você é o presidente?

Pioneiros do MST

– Sim, senhor.

– Mas que falta de homem desgraçada em São Mateus...

A atitude do ex-prefeito nada mais era do que uma demonstração do clima de hostilidade vivido pelos lavradores no norte do Espírito Santo. Os representantes das usinas e das empresas de celulose simplesmente não recebiam os sindicalistas. Tratados como inimigos, eles eram proibidos de entrar nas empresas.

O respeito só veio com a mobilização. A primeira delas foi reunir cerca de 5 mil lavradores em São Mateus no dia 25 de julho de 1982, data em que é comemorado o Dia do Trabalhador Rural. Aquela massa de gente no centro da cidade deixou as empresas de antena ligada.

A segunda mobilização veio nesse mesmo ano, quando, num fim de tarde, na sede do sindicato, um lavrador denunciou que, para curar um mal-estar, o médico da reflorestadora lhe havia receitado um anticoncepcional. Todos conheciam a fama daquele médico. Ele nem olhava nos olhos do paciente. Tratava com indiferença os lavradores, com canetada e grosseria.

Aquela história de anticoncepcional surgia como a gota d'água para os sindicalistas e para os demais trabalhadores ali presentes. Naquela mesma noite, pelo sindicato já haviam passado outros trabalhadores reclamando que o pagamento estava vindo pela metade e que não tinham água potável nem calçados para trabalhar.

Era o momento de cobrar de uma só vez todas as demandas trabalhistas. Sílvio se levantou da cadeira e organizou uma rápida assembléia. A decisão pela greve saiu em poucos minutos.

Já era noite, e o trabalho de mobilização tinha de ser rápido. O mimeógrafo ficou horas e horas rodando o panfleto de convocação para a greve. Com o cheiro de álcool impregnado na sala, um sindicalista rodava o aparelho e dois cortavam e empilhavam os panfletos.

As cópias eram levadas aos montes à periferia de São Mateus, onde vivia a maioria dos funcionários da reflorestadora. Naquele momento, o caso do anticoncepcional já havia se espalhado pela cidade.

A ordem era reunir os lavradores às três da madrugada na frente da sede da empresa, no centro de São Mateus, justamente de onde partiam os caminhões rumo às plantações de eucalipto.

Com seu fusquinha branco 1964, Sílvio percorreu algumas comunidades em busca de apoio e conseguiu convencer até grupos de pequenos agricultores. Sensíveis à greve e donos de suas próprias terras, eles tinham a vantagem de não correr o risco de perder o emprego por conta da paralisação. José Rainha Júnior, sindicalista da vizinha Linhares, também estava lá para ajudar.

Aquela era a primeira greve dos trabalhadores de São Mateus. Sílvio, o presidente do sindicato, não tinha experiência nesse tipo de mobilização. Apenas tinha ouvido histórias sobre as paralisações dos metalúrgicos do ABC paulista e dos trabalhadores da construção civil de Vitória.

Às três horas, conforme o combinado, cerca de 500 pessoas se concentraram na frente da empresa. Rainha não apareceu. Disse que estava passando mal e ficou dormindo na casa de um conhecido de São Mateus. Os grevistas se posicionaram em cima de um monte de pedras, impedindo a entrada e a saída de veículos.

Houve confronto. Ao amanhecer, os grevistas e os padres que ajudavam na mobilização foram surpreendidos com jatos d'água vindos do interior da empresa. Molhados, eles reagiram. A cada esguicho, voavam 500 pedras. Não sobrou uma vidraça da empresa.

Pioneiros do MST

Sílvio ficou no meio do fogo cruzado. Ele corria em direção à sede da empresa com gritos para que cessassem os jatos d'água. Na volta, em direção aos grevistas, gesticulava para que mantivessem o revide com pedradas.

A mobilização terminou à tarde, quando o Batalhão de Choque da Polícia Militar de Nova Venécia chegou à cidade distribuindo golpes de cassetete até nos padres que apoiavam a greve.

Prejuízos à parte, a paralisação de três dias criou um fato novo na região. A reflorestadora teve de negociar com os sindicalistas, e os funcionários ganharam transporte de ônibus, água potável e calçados.

Sílvio e os diretores do sindicato, mesmo de bermuda e chinelo, foram chamados ao diálogo pelos usineiros e passaram a ter livre acesso às empresas de álcool e de celulose da região, algo absolutamente impensável antes da greve.

Sílvio se tornou uma referência no estado e passou a viajar pelo Brasil afora com o pessoal da Pastoral da Terra. Numa dessas viagens, em janeiro de 1984, seguiu para Cascavel, no Paraná, para o Primeiro Encontro Nacional dos Trabalhadores Rurais Sem Terra, na criação oficial do MST.

Lá, Sílvio se sentiu em casa. "Em Cascavel eu conheci um monte de gente xiita como a gente do sindicato. Era tudo aquilo que eu queria ouvir. Eu falei: esses são os meus aliados."

***

Em conseqüência das pressões do sindicato, as empresas de álcool e de celulose da região norte do Espírito Santo começaram a dispensar trabalhadores. "Uns recebem mais; e outros, nada", repetiam os patrões.

Sílvio, presidente do sindicato, sentiu-se culpado.

Havia liderado os protestos por melhorias nas condições de trabalho e agora via parte daqueles antigos grevistas desempregados, jogados na periferia, a maioria deles numa favela chamada Pé Sujo.

Mesmo com o sentimento de culpa, Sílvio havia retornado com ânimo de sobra do primeiro encontro do MST. Passou então a utilizar a sede do sindicato como base da organização dos sem-terra. A idéia dele era compensar com um pedaço de terra a demissão daquelas pessoas.

Desde o início, porém, ele foi contrário às ocupações. Como sindicalista, preferia a negociação. E foi dessa forma que, ao lado de uma comissão do município e com a ajuda da Pastoral da Terra, conseguiu agendar reuniões com o governo do estado.

O governo comprou algumas áreas no norte do estado. Num desses assentamentos, foram beneficiadas famílias da favela Pé Sujo organizadas pelo sindicato de São Mateus. Além de adquirir a terra, o estado ajudava na construção de casas de madeira e de poços artesianos.

Sílvio mal parava em casa. Só visitava o seu pedaço de terra para dormir ou para buscar dinheiro e uma muda de roupa lavada.

O trabalho na roça ficava a cargo de Izaldina e dos oito filhos, enquanto, nos fins de semana, amigos da comunidade faziam mutirão para colher feijão na terra do presidente do sindicato. "Movimento é uma tentação. É um negócio doido."

***

Pioneiros do MST

Presidente do sindicato, coordenador do MST e ainda assessor da Pastoral da Terra, Sílvio chegou a ficar um mês longe de São Mateus, numa viagem organizada pela Igreja e com passagens por Cuba, Nicarágua, Costa Rica, Honduras, México e Colômbia.

A visita clandestina de dez dias a Cuba passou despercebida no retorno ao Brasil. As relações entre os dois países, rompidas com o golpe de 1964, seriam retomadas em 1986.

Sílvio lia muito. Além da Bíblia, tinha sempre debaixo do braço livros sobre marxismo e Che Guevara. Gostava de ler esses livros nas cinco horas de ônibus entre São Mateus e Vitória.

Numa dessas viagens, ainda sob a ditadura militar e já como presidente do sindicato, teve de pisar em cima de um livro de Karl Marx, assim que percebeu a entrada de um policial no ônibus. Só pegou o livro de volta ao fim da *blitz*.

***

Veio o congresso nacional de 1985, em Curitiba. Sílvio saiu de lá como diretor nacional, mas logo em seguida começou a enfrentar resistência no sindicato e no próprio MST.

Parte dos dirigentes e associados do Sindicato dos Trabalhadores Rurais de São Mateus queria que o seu presidente, Sílvio, no caso, estivesse com as atenções voltadas apenas para os problemas trabalhistas dos pequenos agricultores, e não para a organização dos sem-terra. Por outro lado, o MST pregava a ocupação de terra como o único caminho para a reforma agrária, enquanto Sílvio insistia na negociação com o governo estadual.

Em outubro, num encontro regional do movimento, Sílvio viu a sua proposta de negociação ser derrotada. Estava então aprovada a organização dos sem-terra para ocupar a fazenda Georgina, no próprio município

de São Mateus, o que de fato ocorreu no dia 27 daquele mês. Foi a primeira invasão do MST no estado.

Naqueles tempos, Sílvio não contava apenas com o apoio de religiosos e de sindicalistas da região. O presidente do sindicato e diretor nacional do MST foi convencido por um amigo promotor público a integrar o corpo de jurados do município. Desse modo ele não poderia ser preso, mesmo diante de uma eventual perseguição policial.

Essa imunidade foi colocada à prova três dias após a invasão da fazenda Georgina. Num fim de noite, ainda no sindicato, Sílvio recebeu um telefonema do secretário estadual da Agricultura. A informação, sigilosa, era que ocorreria na manhã seguinte uma batida da polícia em busca de armas no acampamento, e que o despejo das famílias ocorreria logo em seguida.

Sílvio retornou imediatamente ao acampamento, onde havia passado a tarde. No início da madrugada, por volta das duas horas, ajudou os demais líderes do MST a esconder todas as armas.

Cavaram um buraco largo e raso no meio da fazenda, forraram a abertura com lona preta, jogaram lá todos os revólveres e espingardas, cobriram tudo mais uma vez com pedaços de lona, lançaram farelos de palha e, por fim, fecharam o buraco com uma rala camada de terra. Assim, caso precisassem, teriam as armas facilmente à mão.

Mas isso não foi necessário. No dia seguinte, conforme Sílvio havia sido alertado, a polícia fez uma varredura no acampamento. Recolheu martelos, enxadas e foices, e anunciou às famílias que outro acampamento poderia ser montado numa área próxima à fazenda Georgina. Antes de iniciar o despejo, os policiais deram um tempo para que os próprios sem-terra desmontassem os barracos e retirassem os pertences da área.

Pioneiros do MST

Com a polícia do lado de fora, Sílvio entrou com o fusquinha branco no acampamento e orientou que um caminhão alugado para transportar os sem-terra fosse estrategicamente estacionado entre o buraco com as armas e a entrada da propriedade. Dessa forma, do lado de fora, os policiais não conseguiriam enxergar aquela perigosa movimentação.

Alguns sem-terra se posicionaram em torno do buraco, enquanto outros começaram a cavar. Todas as armas foram jogadas no banco traseiro do fusquinha de Sílvio e cobertas com lona preta.

Sílvio suava frio. Entrou sozinho no carro, ligou o motor e manobrou em direção à saída do acampamento. No caminho de terra, viu uma estranha movimentação da polícia na entrada da fazenda. Pisou no breque e imaginou ver o fim da linha. Andou mais um pouco, e demorou a perceber que aquele vaivém dos PMs era apenas para abrir caminho para o seu carro.

A polícia nada percebeu, e revólveres e espingardas foram deixados na casa de um amigo sindicalista, no centro da cidade.

***

A popularidade de Sílvio era alta entre os lavradores, as contas do sindicato foram colocadas em dia e parte dos sem-terra de São Mateus estava sendo assentada. Mas isso tinha um preço. Em 1986, vieram as ameaças de morte. As primeiras, por meio de telefonemas anônimos na sede do sindicato.

O recado: "Abandona isso daí."

Algumas semanas depois, vizinhos de Sílvio começaram a notar a passagem constante de um Opala preto nas imediações de sua propriedade. O veículo fazia manobras na frente da casa da família.

Nenhuma das ameaças se concretizou, mas Sílvio não ficou desprotegido. No fusquinha, embaixo do banco do motorista, mantinha escondido um revólver de seis tiros. E não era só isso. Embaixo do banco do passageiro, carregava um rifle de 12 tiros.

Ainda apoiando o MST, mesmo sem o objetivo de conquistar um pedaço de terra, a relação de Sílvio com os demais líderes regionais do movimento estava cada vez mais desgastada.

Um ponto de atrito continuava sendo a sua preferência pela negociação em vez das ocupações. Mas Sílvio se afastou ainda mais do movimento em março de 1987, quando se recusou a participar de uma marcha com 200 sem-terra entre São Mateus e Vitória.

***

A cabeça de Sílvio estava cada vez mais voltada para o sindicato e principalmente para a política. Em 1986, fora candidato a deputado estadual pelo PT, partido que ajudou a organizar em São Mateus.

No ano seguinte, com o desgaste no MST e o término do mandato na presidência do sindicato, aceitou ser tesoureiro da Federação dos Trabalhadores na Agricultura do Espírito Santo (Fetaes), entidade sindical ligada à Confederação Nacional dos Trabalhadores na Agricultura (Contag).

Mudou-se sozinho para Vitória, mas não se desfez da propriedade, ainda sob os cuidados da mulher e dos oito filhos.

Em 1988, mais uma derrota política. Ficou em segundo lugar nas eleições para a Prefeitura de São Mateus. Daquela disputa, Sílvio carrega de positivo a decisão, contestada na época por assessores do partido, de não vender o terreno para usar o dinheiro na reta final da campanha.

Pioneiros do MST

Afastado do MST e do sindicato, Sílvio decidiu coordenar o projeto Escola Família no município. Nesse meio tempo, em 1992, foi candidato a vereador em São Mateus. Perdeu de novo.

Dois anos depois, Sílvio mais uma vez seguiu para Vitória. Dessa vez para assumir a presidência estadual do PT. No comando do partido, tentou de novo uma vaga na Assembléia Legislativa nas eleições de 1998. Acumulou a quarta derrota nas urnas e ainda torrou na campanha os 15 mil reais que tinha economizado na capital do estado. "Disso eu me arrependo até hoje."

No ano seguinte, o mandato no PT acabou e Sílvio voltou para São Mateus para cuidar da roça abandonada pelos filhos. Chegou em casa sem nenhum centavo no bolso, apenas com a vontade de recuperar o tempo perdido longe da família.

***

Cinco anos antes, Sílvio havia deixado 26 mil pés de café com os filhos e com a mulher, Izaldina. No retorno, viu que todo o cafezal estava perdido, assim como as culturas de subsistência. O que vinha segurando o sustento da família era parte do salário que Sílvio enviava mensalmente de Vitória para São Mateus.

De positivo, a chegada da energia elétrica à comunidade, em 1996, ano em que a família conseguiu, enfim, abandonar a lamparina a querosene.

Longe do sindicato, do MST e do PT, Sílvio reorganizou seu pedaço de terra. De 1999 para cá, deu uma nova cara à propriedade. Hoje ele planta coco, feijão, banana, cana, laranja e mamão, tudo para o consumo da família.

Para o mercado produz e vende café, pimenta e mandioca. Só de café são cerca de 30 sacas por colheita, tudo sem agrotóxicos ou adubos químicos.

Três quartos da propriedade de Sílvio são visualmente cercados por eucaliptos, árvore impregnada por todo o norte do Espírito Santo.

Apesar da proximidade visual com esse deserto verde, Sílvio mantém intactos com vegetação nativa 5 hectares da propriedade. No espaço, há árvores centenárias e raras, como guarabu, jacarandá-da-baía e jequitibá.

Esse pedaço de vegetação ajuda a preservar uma nascente d'água localizada nos fundos da propriedade. É numa pequena represa, de 4 metros de profundidade, com a qual Sílvio consegue abastecer a casa e irrigar a plantação. São 18 mil litros de água por hora, distribuídos com uma bomba e um cano de borracha.

A casa de Sílvio, de alvenaria, é protegida por um vira-lata e sombreada por uma mangueira e uma castanheira. As portas estão sempre abertas, e as galinhas entram pela sala e saem pela cozinha.

Todas as manhãs, com a ajuda de uma escada, alguém da família coloca um cacho de bananas no alto da castanheira. Sempre por volta do meio-dia, um grupo de 20 sagüis sai do meio do mato, passa na frente da casa, sobe na árvore e devora as frutas. O único trabalho depois é colocar a escada e retirar as cascas de banana.

Desde que retornou de Vitória, a única recaída política de Sílvio ocorreu em 2004, quando aceitou integrar, como vice, a chapa petista na campanha para a Prefeitura de São Mateus. A eleição serviu apenas para acumular a quinta derrota em cinco disputas.

Sílvio e Izaldina vivem hoje da produção de café, pimenta e mandioca, das duas aposentadorias e do que recebem pelo arrendamento de uma área de 10 hectares localizada no início da comunidade, às margens da BR-101. O terreno está alugado para o plantio de eucalipto, uma contradição na cabeça de Sílvio. "Isso é meio que contra a vontade da gente."

***

O nome de Comunidade Divino Espírito Santo surgiu na década de 1960, quando, no Dia de Pentecostes, um padre reuniu para uma missa todas essas famílias, então isoladas na mata, a 10 quilômetros de São Mateus. Nessa data, passados 50 dias da Páscoa, os católicos comemoram a descida do Espírito Santo sobre os apóstolos.

Estavam naquela missa representantes das comunidades Córrego Grande, Córrego Rio Preto e Córrego da Tabua, que, a partir dali, forma-

Pioneiros do MST

ram juntas a Divino Espírito Santo. Antes daquela missa, Sílvio e Izaldina pertenciam à Córrego da Tabua.

Ancestrais dessas famílias chegaram ao norte do Espírito Santo em tempos de escravidão. Hoje, das cerca de 90 famílias da comunidade, a maioria esmagadora é de negros e quer que o governo federal, por meio de um decreto de 2003, reconheça aquelas terras como de remanescentes de quilombos.

Sílvio é contrário à idéia, pois teme pela desapropriação de terras de pequenos agricultores. "O pessoal ficou louco da vida comigo. Disseram que eu virei branco."

A única unanimidade por lá é que todos se dizem descendentes do quilombo do Laudêncio, um grupo de escravos rebelados que atacava fazendas e embarcações no norte do Espírito Santo e libertava os escravos das fazendas e os que desembarcavam no porto de São Mateus.

Pioneiros do MST

> **Perdi o medo. Vim pra matar, e não só pra morrer.**
>
> *Osvaldo Xavier Barros*
> Em 1992, ao retornar para casa
> mesmo sob a ameaça de pistoleiros.

E ntre São Mateus, no litoral, e Pedro Canário, no centro-norte do Espírito Santo, foram apenas 60 quilômetros. No trajeto, no sentido Bahia da BR-101, o cenário permaneceu desolador, tomado por extensões de eucalipto e de cana-de-açúcar.

O asfalto está bem-cuidado, mas a presença constante de treminhões das empresas de papel e celulose e das usinas de álcool e de açúcar torna as ultrapassagens perigosas. O cheiro forte da cana é sentido na aproximação a Pedro Canário.

Osvaldo Xavier Barros, 50 anos, vive na Vila Floresta do Sul, comunidade distante 15 quilômetros do centro do município. No acesso, são 5 quilômetros de asfalto e outros 10 de uma trilha de terra com cascalho, bem trafegável, pelo menos fora do período de chuvas.

A propriedade de Osvaldo tem 77 hectares, metade pasto e metade canavial.

Ao redor dele, na comunidade, vivem outros pequenos agricultores e também trabalhadores rurais empregados nas usinas e nas empresas de celulose da região. São bóias-frias. No fim de tarde, do portão de entrada da propriedade de Osvaldo, é possível ver dezenas deles caminhando pela estrada de terra, de volta para casa, na Vila Floresta do Sul.

***

Baiano de Macarani, município colado à divisa com Minas Gerais, Osvaldo chegou ao Espírito Santo com 4 anos de idade, quando o pai, Balbino, o avô e outros familiares fugiram da seca na Bahia para o norte do estado.

Haviam perdido gado, suínos, feijão e mandioca com a estiagem prolongada, agravada em 1951.

Acomodaram-se num distrito de Conceição da Barra, hoje pertencente ao município de Montanha. Um tio visitou antes a região e deu o sinal verde aos demais familiares.

Na época, 230 famílias fugiram juntas da seca rumo ao norte do Espírito Santo. Cada uma delas adquiriu o direito de posse de um pequeno pedaço de terra.

A área da família de Osvaldo era isolada, e o sustento vinha da produção de farinha de mandioca. Não havia escola por perto. Energia elétrica também não. A iluminação na casinha de madeira era feita com um candeeiro a querosene.

Todos iam dormir antes das oito da noite.

***

Osvaldo começou a trabalhar aos 6 anos de idade. De terça a domingo, era acordado pela mãe às duas da madrugada para ajudar na fabricação de farinha. Os irmãos mais novos, com 5, 4 e 3 anos, também ajudavam. Somente o irmão de 2 anos era poupado do serviço.

Do quarto das crianças à casa de farinha eram cerca de 100 metros. A mãe caminhava na frente, para acender o fogo. Os filhos ajudavam a esfarelar pedaços de mandioca. Apertavam com as mãos até que a massa ficasse solta o suficiente para passar numa peneira. Enquanto isso, o pai cozinhava pacientemente a massa em fogo brando.

Às quatro da manhã, as crianças podiam descansar um pouco. Deitavam ali mesmo, num canto da casa de farinha, em cima de couros de boi usados como esteira. O cochilo era rápido. Duas horas depois já tinham de ajudar o pai a puxar os burros para arar a terra e carregar os sacos de farinha.

Às segundas-feiras Osvaldo conseguia dormir até mais tarde. Acordava às seis da manhã para ajudar o pai a levar os sacos de farinha ao vilarejo mais próximo. Até o meio-dia, eram duas viagens, num total de 8 quilômetros segurando o cabresto de um burro.

Até então, Osvaldo nunca tinha visto um professor. Nunca tinha visto um médico. Os irmãos e as irmãs nasciam nas mãos de parteiras da comunidade.

Aos 7 anos, sofreu por meses e meses uma forte dor de dente. A gengiva ficou inflamada, cheia de pus. O dente inflamado perfurou o osso e abriu um buraco na mandíbula. Até hoje Osvaldo tem a cicatriz.

A vida por lá durou apenas três anos. Em 1954, logo após ter se livrado da dor de dente, Osvaldo viu a família e outros vizinhos serem expulsos na base da cacetada. A ordem do governo era despejar todos aqueles pequenos agricultores e oferecer a área para uma gigante madeireira. A plantação de mandioca, quase na época da colheita, foi toda destruída na ação policial.

Alguns posseiros agricultores tentaram resistir. Balbino, pai de Osvaldo, foi um deles. Passou alguns dias escondido na mata, fugindo da polícia, mas logo percebeu que a causa estava perdida.

Pioneiros do MST

BILHETE PREMIADO

***

Depois da truculência e do despejo, o governo tentou compensar o sofrimento dos agricultores. A família de Osvaldo, por exemplo, recebeu um pedaço de terra em Vinhático, na época distrito de Conceição da Barra e hoje distrito de Montanha.

Nas proximidades da nova casa também não havia escola. A primeira foi construída cinco anos depois. Balbino logo quis matricular os filhos analfabetos, mas antes contratou um professor particular para ensinar pelo menos o bê-á-bá aos filhos e a outras crianças vizinhas. Por dois meses, para recuperar parte do atraso de seguidos anos sem estudo, uma sala de aula foi improvisada num canto da casa.

As aulas eram rígidas. Patrono daquela escolinha de improviso, Balbino orientou o professor a usar uma palmatória de jacarandá-da-baía para castigar os que errassem a tabuada ou as contas de somar e subtrair.

O castigo ficava por conta dos próprios alunos. Um perguntava ao outro. Quem errasse levava uma palmatoada. No fim do dia, Osvaldo, com 12 anos e o mais velho da turma, sempre saía de lá com a palma da mão inchada. Eram cerca de 20 alunos o dia inteiro naquela sala de aula.

Com o "cursinho" patrocinado pelo pai, Osvaldo conseguiu entrar direto na segunda série do primário. Estudou mais quatro anos e, por vontade própria, decidiu abandonar a escola. Aos 16 anos, havia concluído a quinta série.

Pioneiros do MST

***

A adolescência de Osvaldo foi toda na roça. Dois anos fora da escola e sem perspectivas que o estimulassem, decidiu seguir a carreira militar assim que completou 18 anos.

Na primeira tentativa, foi dispensado no quartel de Conceição da Barra. No ano seguinte, já com 19 anos, seguiu sozinho para Vitória, capital do estado, para mais uma vez fazer o alistamento.

Dispensado de novo, nem sequer retornou a Vinhático. Da rodoviária de Vitória, sem avisar os pais, seguiu de ônibus para São Paulo. Estava em busca de mais uma chance como recruta.

Na capital paulista, apresentou-se como voluntário. Era dezembro de 1966, e o mundo, inclusive o Brasil, estava atento a possíveis conflitos no Oriente Médio. Osvaldo não foi aceito, mas, por precaução militar, teve o certificado de reservista retido no quartel. Teria de se apresentar aos militares a cada 30 dias. Ou seja, naquele momento, mesmo que quisesse, não poderia retornar ao Espírito Santo. Escreveu uma carta aos pais e comunicou-lhes que estava em busca de emprego na maior cidade do país.

Nas primeiras semanas, desempregado e com pouco dinheiro no bolso, habituou-se a dois pães secos, um copo de leite quente e uma banana, tanto no almoço como no jantar.

Aos 20 anos, com pouco estudo e uma vida inteira passada na roça, Osvaldo não tinha como escolher emprego na metrópole. Estava topando qualquer coisa. Trabalhou como servente de pedreiro, numa firma de *outdoors*, numa metalúrgica e como balconista de lanchonete e de padaria. Morou um bom tempo numa pensão no centro da cidade, bem próximo aos locais de trabalho.

Pioneiros do MST

Osvaldo lembra que, no mesmo dia em que pediu as contas na metalúrgica, saiu batendo na porta de alguns botecos no centro da cidade.

Num deles, mentiu ao proprietário, um português, ao dizer a ele que tinha experiência como balconista. Foi contratado na mesma hora, mas atrapalhou-se quando o primeiro freguês entrou e pediu que preparasse uma caipirinha no capricho.

Jovem recém-chegado do meio do mato, Osvaldo não tinha a menor idéia do que era uma caipirinha, ainda mais no capricho. Esperou o dono se afastar, encostou no balcão e cochichou ao freguês:

— O senhor me explica como fazer isso. Estou começando hoje aqui e não tenho a menor idéia de como fazer essa caipirinha.

Por sorte, o freguês estava de bom humor, compreendeu a situação daquele aflito balconista e lhe ensinou passo a passo os procedimentos, desde a forma de cortar o limão em rodelas até a melhor cachaça a ser usada na bebida.

No bar do português, o Capixaba, como era conhecido, entrava às sete da manhã e, por muitas vezes, só saía de lá no início da madrugada, após lavar o chão e os estrados da chapa.

***

Do boteco, Osvaldo se mudou para o balcão de uma padaria. Por lá, nas primeiras férias, voltou ao Espírito Santo para o casamento de uma irmã. Na festa, conheceu a mineira Marlene, por quem se apaixonou. Trocaram correspondência até que, em outro período de folga na padaria, se casaram em Vinhático.

Osvaldo levou Marlene para São Paulo em 1970. Ele tinha 23 anos, e ela 18. Não demorou muito e, no ano seguinte, tiveram o primeiro filho. Dois anos depois veio o segundo menino.

Nessa época, Osvaldo já tinha trocado a padaria por uma lanchonete. O apelido não era mais Capixaba. Todos o chamavam de Micmac, o nome do estabelecimento. Tinha também realizado o sonho de tirar a carteira de habilitação. Não tinha prática, mas queria seguir a profissão de motorista.

A chance de mudar de emprego veio em meados de 1973. Um amigo o indicou para trabalhar como auxiliar de motorista numa fábrica da Sadia. Aprovado na entrevista, pediu as contas na lanchonete no mesmo dia. O patrão reclamou, disse que seria difícil substituí-lo, mas Osvaldo não lhe deu ouvidos.

Além de optar por uma nova profissão, não agüentava mais a rotina atrás de um balcão. Trabalhava todos os fins de semana, e as folgas eram raras. Não sobrava tempo para curtir os filhos e a mulher. Não conhecia o litoral paulista e havia conseguido assistir a apenas uma partida do Santos, no Pacaembu.

* * *

Num domingo, feliz com os 45 dias de trabalho na Sadia, Osvaldo convidou amigos dos tempos da Micmac para jantar em sua casa, na Zona Oeste de São Paulo. Ele era fanático por futebol e, como fazia todos os domingos à noite, ligou o radinho a pilha para conferir as apostas na Loteria Esportiva.

Naquele dia, ficou assustado ao ouvir o resultado do décimo terceiro e último jogo da Loteria Esportiva:

— Ué, acho que eu ganhei. Não errei nenhum!

Um amigo pediu calma.

— Daqui a meia hora eles vão repetir. Deixa que dessa vez eu vou conferir o resultado pra você.

Osvaldo se empolgou:

— Se eu ganhar mais de 100 mil cruzeiros, vou te dar um fusquinha de presente.

Meia hora depois, o amigo anotou os resultados e confirmou o acerto dos 13 jogos. Osvaldo se conteve e só comemorou depois do rateio. Poucos apostadores tinham acertado a vitória do Santos por 2 a 1 contra o Coritiba, na capital paranaense, com Pelé marcando um dos gols do time paulista.

Com 286 mil cruzeiros aplicados na caderneta de poupança, Osvaldo pediu demissão da Sadia, vendeu a casa e comprou três fusquinhas. O pri-

Pioneiros do MST

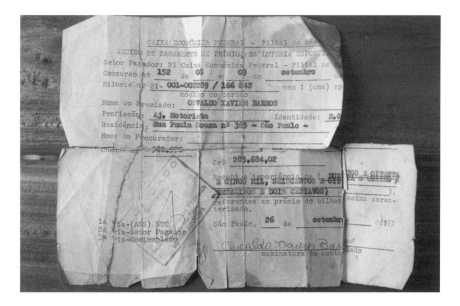

meiro para si mesmo, o segundo de presente para o amigo da Micmac e o terceiro para um outro amigo pagar em um sem-número de prestações.

Osvaldo ganhou na loteria em setembro. No mês seguinte, visitou Aparecida para agradecer o prêmio a Nossa Senhora. Em novembro, com a mulher e os dois filhos, colocou o fusquinha na estrada e seguiu de volta para o Espírito Santo, pouco menos de sete anos após ter pisado pela primeira vez em São Paulo. Não via o momento de reencontrar os pais e os 16 irmãos.

No retorno, Osvaldo optou por um caminho que não passasse pela cidade do Rio de Janeiro. Sem conhecer a capital fluminense, tinha medo de cruzá-la de carro. Escolheu um trajeto mais longo, inclusive com trechos de terra.

Entre Itaperuna e Campos dos Goitacazes, já num trecho de asfalto, Osvaldo tentou recuperar o tempo perdido, mas o fusquinha capotou na primeira curva fechada. O carro atravessou a pista de cabeça pra baixo, raspando a lataria do teto no asfalto e parando a menos de 2 metros de uma proteção de ferro.

Por sorte, todos da família saíram ilesos. O próprio fusquinha tinha condições de seguir viagem, mas Osvaldo optou por vendê-lo assim que chegou a Campos.

De lá, seguiu de táxi por 530 quilômetros até Pedro Canário, onde, na Vila Floresta do Sul, comprou o pedaço de terra em que vive até hoje. Pedro Canário, à época, era um distrito de Conceição da Barra.

A propriedade recebeu o nome de Sítio Sadia, uma homenagem ao emprego de motorista, um sonho realizado e pouco aproveitado. O restante do prêmio da Loteria Esportiva ele investiu em 52 bezerros.

Osvaldo e a família se mudaram para a comunidade em janeiro de 1974. O terreno estava coberto de sapé. Depois de ará-lo, plantou mandioca, banana e café.

Cinco anos depois, viu a chegada dos primeiros pontos de energia elétrica. No ano seguinte, ganhou uma medalha de melhor produtor da região. Terminou a casa de alvenaria e, após seis anos, a família deixou o abrigo de madeira.

* * *

Aos poucos, enquanto a vida na terra ia se estabilizando, Osvaldo encontrou tempo para se dedicar à Igreja Católica. Os primeiros passos ocorreram em 1978, aos 31 anos de idade, quando passou a freqüentar cursinhos de base na igreja.

Osvaldo sempre fora católico, mas o excesso de trabalho em São Paulo e o isolamento no campo nos tempos de criança e adolescente impediam-no de freqüentar o templo cristão. O pai e a mãe eram fiéis a Deus, mas também levavam muito a sério as benzeduras e as rezas contra mau-olhado.

Dedicado, Osvaldo acabou indicado pelos religiosos para presidir a comunidade e auxiliá-los na Pastoral Social. A militância e a proximidade com os problemas da população levaram-no logo à política. Em 1982, ao lado de colegas de comunidade, filiou-se ao PMDB. No mesmo ano foi candidato e saiu derrotado das eleições para vereador de Conceição da Barra.

A emancipação de Pedro Canário veio no ano seguinte. Osvaldo mudou de município sem mudar de casa. Depois, foi a vez de o distrito de Vinhático, onde moravam os pais, ser anexado ao município de Montanha.

Na Igreja, mais diretamente pela Pastoral Social, mas também como colaborador da Pastoral da Terra, Osvaldo ajudava a conscientizar os lavradores sobre as situações degradantes de trabalho oferecidas nas plantações de mandioca, nas casas de farinha e nas vastas áreas de eucalipto.

Osvaldo era filiado ao Sindicato dos Trabalhadores Rurais de Conceição da Barra. Ao lado de amigos da Vila Floresta do Sul, articulou uma chapa de oposição, mas, por duas eleições seguidas, não conseguiu tomar o comando da entidade.

A solução foi criar a Associação dos Trabalhadores Rurais de Conceição da Barra e de Pedro Canário. Osvaldo era o tesoureiro, enquanto o amigo e vizinho Valdício Barbosa, conhecido com Léo, era o presidente. Na prática, cumpriam a mesma plataforma da última campanha ao sindicato: visita às comunidades e planejamento de reuniões, passeatas e festas para os trabalhadores.

Pioneiros do MST

Outra atribuição era organizar e selecionar famílias para futuros assentamentos em áreas compradas pelo governo do Espírito Santo. Entre eles, não se falava em ocupação. Osvaldo tinha trocado o PMDB pelo PT.

O reconhecimento desse trabalho de base foi o convite da Pastoral da Terra para que, em janeiro de 1985, Osvaldo participasse do Primeiro Congresso Nacional do MST.

Na época, assessor da Igreja Católica e tesoureiro da associação de trabalhadores, acumulou em Curitiba o cargo de diretor nacional do Movimento dos Trabalhadores Rurais Sem Terra.

***

A trajetória de Osvaldo no MST durou menos de um ano. Terminou justamente por conta da primeira invasão de terra pelo MST no Espírito Santo. Aquela, da fazenda Georgina, na qual Sílvio teve de correr para esconder as armas antes do despejo.

***

Em meados de outubro de 1985, Osvaldo recebeu a informação, vinda do sindicato de São Mateus, de que a "festa" ocorreria no dia 27. Era a senha de que precisava para organizar as famílias, alugar os caminhões e marcar o horário e um ponto de encontro.

A "festa", na cabeça de Osvaldo, era a simples entrada das famílias em alguma área qualquer adquirida pelo governo.

Um dia antes da ação, entre meeiros, vaqueiros, diaristas e funcionários de casas de farinha, 42 famílias estavam confirmadas no bloquinho de anotações de Osvaldo.

Por volta das oito da noite, três caminhões chegaram à Vila Floresta do Sul. As famílias começaram a subir, uma a uma, nas carrocerias. Nesse meio tempo, enquanto ajudava a acomodar os objetos das famílias, Osvaldo percebeu a deserção de um grupo de lavradores evangélicos. Eles se afastaram do caminhão e seguiram de volta para casa.

Sem saber o motivo da desistência, Osvaldo subiu numa das carrocerias e se juntou às 27 famílias restantes. O momento da partida estava próximo, e o diretor nacional do MST iria junto.

Um dos três motoristas ligou o motor. Osvaldo ainda procurava um canto para se ajeitar quando viu sua mulher, Marlene, e o amigo Léo gesticulando do lado de fora. Saltou da carroceria e correu para saber do que se tratava.

— Osvaldo, é melhor você não ir. A história desse assentamento não é bem assim — disse Léo.

— Não vá, não vá. Escute o que o Léo está dizendo — reforçou Marlene, com as mãos no ombro do marido.

Osvaldo não entendeu nada, mas acatou o pedido e deu a ordem aos três motoristas para iniciarem a viagem.

Uma caminhonete com fazendeiros da região seguiu o comboio até a saída de Pedro Canário. Quando os caminhões pegaram o rumo de São Mateus, a "escolta" acabou.

Nos dias seguintes, Osvaldo ficou grudado num radinho a pilha à espera de eventuais notícias sobre o paradeiro daquelas famílias. Três dias depois ele ficou sabendo que a "festa" anunciada pelo sindicato de

Pioneiros do MST

São Mateus era, na verdade, a ocupação da fazenda Georgina. Isso esclareceu a Osvaldo a desistência dos evangélicos e os pedidos incisivos da mulher e do amigo Léo.

De qualquer maneira, mesmo contrário àquela forma de conquista da terra, Osvaldo tinha de agir como diretor nacional do MST e acompanhar de perto a situação daquelas famílias, em especial as 27 oriundas da Vila Floresta do Sul. Ele avisou a mulher e seguiu de ônibus até o acampamento.

Naquele mesmo dia, as 350 famílias haviam sido despejadas da fazenda Georgina e levadas naquele mesmo dia para uma área no quilômetro 41 da rodovia que liga São Mateus a Nova Venécia. Lá, sem a pressão da Polícia Militar, ergueram outro acampamento.

Assim que desembarcou, Osvaldo começou a ajudar na organização dos núcleos do acampamento.

Nesse vaivém entre os barracos, foi flagrado pela lente possante de um fotógrafo de um jornal da região. Sem que soubesse, a imagem ganhou destaque na edição do dia seguinte. O texto, no alto da página, veio com o seguinte título: "Proprietário de Floresta do Sul ajudou na invasão da fazenda Georgina."

Osvaldo não soube da notícia e permaneceu mais cinco dias no acampamento. Quando voltou para casa, foi informado da reportagem e de que, nos dias seguintes a ela, jornalistas tinham visitado a comunidade e fotografado a propriedade. O amigo Léo foi além: disse que pistoleiros haviam filmado a roça, o gado e a casa.

Osvaldo entrou em desespero. A todos que batiam na porta de sua propriedade ele negava ser o Osvaldo da invasão e do MST.

— Tem cinco Osvaldos aqui na Floresta do Sul. Deve ser qualquer um desses — respondia aos que o procuravam no Sítio Sadia.

Pioneiros do MST

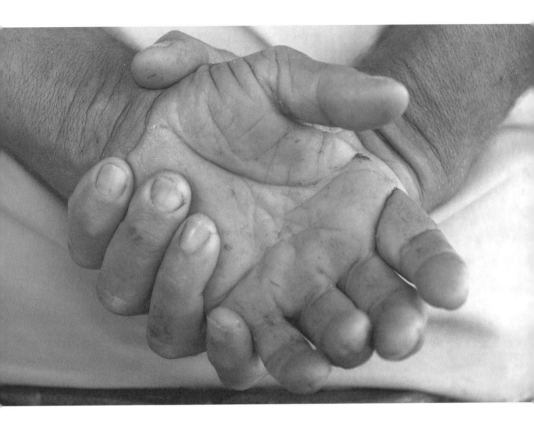

Naquela semana, além de jornalistas e pistoleiros, sem-terra de Nova Venécia o procuraram em casa para que os incluísse numa lista de futuros assentados. Osvaldo nem quis recebê-los. Achava que poderiam ser policiais militares disfarçados.

Dois meses depois, em dezembro de 1985, Osvaldo e o amigo Léo foram intimados a depor em São Mateus, num inquérito aberto pela polícia local sobre a invasão da fazenda Georgina.

Ainda preocupados com a repercussão do caso, os dois viajaram um dia antes. Dormiram na casa de Sílvio, na comunidade Divino Espírito

Santo, e, na manhã do dia seguinte, tiveram de responder a todo o tipo de pergunta: Como organizaram aquela invasão? Quais eram os líderes dos sem-terra? Como e onde ocorriam as reuniões para articular uma invasão de terra?

Osvaldo, assim como Santina Grasseli, Jandir Basso, Santos Luiz Silva e Sílvio Manoel dos Santos, não atuava no MST com o objetivo de conquistar um pedaço de terra. Ele já tinha uma área própria, equivalente a 20 campos de futebol.

Por conta disso, diante da pressão nos arredores de casa e com o temor de que algum tipo de retaliação atingisse a mulher e os quatro filhos, Osvaldo decidiu se afastar da direção do movimento. A decisão foi comunicada oficialmente em meados de 1986 a representantes da Comissão Pastoral da Terra no estado.

***

Osvaldo se afastou do MST, diminuiu a atuação nas pastorais da Igreja Católica e passou a se envolver apenas em questões burocráticas da associação dos trabalhadores. Ficou distante da organização de sem-terra para novos assentamentos.

Da Vila Floresta do Sul, acompanhou o clima de guerra nas terras do estado. Ao mesmo tempo em que as ações e as conquistas do MST se intensificavam, crescia também o número de ataques de pistoleiros e o de assassinatos de lavradores.

Mesmo distante dos holofotes, mas ainda marcado pela fama da fazenda Georgina, Osvaldo entrou numa lista negra dos fazendeiros da região em junho de 1989.

Pioneiros do MST

***

No dia cinco daquele mês, por volta das 11 da manhã, Osvaldo concluiu o trabalho no cafezal. Assim que entrou em casa, a filha mais velha, então com 14 anos de idade, deu a notícia sobre o assassinato do fazendeiro José Machado.

Tratava-se do proprietário da fazenda Ipuera, ali mesmo em Pedro Canário. Durante a invasão da propriedade, ele e um policial à paisana que fazia um bico de segurança foram mortos num conflito com sem-terra ligados ao MST.

Não demorou muito e começaram a circular pelo norte do Espírito Santo rumores de que grupos organizados de fazendeiros iriam assassinar, um a um, os líderes dos sem-terra da região. Até um prazo foi estipulado por eles: um morto a cada 30 dias.

A rotina de Osvaldo se restringiu aos limites do Sítio Sadia. Durante o dia, o máximo que fazia era permitir a entrada de um grupo de lavradores que o ajudavam no cafezal.

Numa noite de domingo, com o dinheiro ganho na venda de alguns sacos de laranja, Osvaldo decidiu sair pela vizinhança para fazer o pagamento dos lavradores.

Já passava da seis e meia da tarde, e, com a iluminação restrita ao interior das casas, as trilhas de terra entre uma e outra propriedade eram (e ainda são) um breu só. Naquele dia, o assassinato do fazendeiro José Machado tinha completado apenas duas semanas.

Com dinheiro no bolso, a primeira parada de Osvaldo foi na casa de Léo. O amigo era responsável pelo pagamento de um outro grupo de lavradores. Osvaldo acertou o que lhe devia e avisou que seguiria de lá até o povoado.

Pioneiros do MST

— Você está louco de ir até lá? — questionou o amigo.

— Mas eu tenho de pagar o pessoal, Léo.

— Se quer morrer, então vá logo! — retrucou Léo, antes de bater a porta na cara do amigo.

Osvaldo não cedeu ao pedido do amigo. Na escuridão, passou a caminhar rumo ao povoado, a cerca de 500 metros dali.

Deu uns dez passos e logo percebeu que, do seu lado direito, numa trilha de terra paralela, um carro se movia lentamente apenas com as lanternas acesas.

Osvaldo e o veículo estavam separados apenas por um pequeno matagal. Logo à frente, a menos de 50 metros, as duas trilhas se encontrariam.

Sem olhar mais para os lados, Osvaldo deu mais alguns passos para a frente e, de repente, saiu em disparada pelo lado esquerdo da estrada. Nesse momento o carro acelerou.

Osvaldo pulou a cerca do vizinho, atravessou uns 100 metros de mandiocal, pulou outra cerca e caiu dentro de sua propriedade.

Por sorte, não havia ninguém em casa. A mulher tinha levado os dois filhos e as duas filhas a um culto da Igreja Batista, logo ali próximo, no povoado da comunidade.

Osvaldo deu uma volta completa na casa e ouviu latidos do cachorro vindos da porteira do sítio. No caminho até lá, com a ajuda da claridade da Lua, viu um homem vestido com uma blusa marrom caminhando em sua direção. Aquele desconhecido estava na estrada, a cerca de 20 metros de Osvaldo.

Os dois correram. O homem seguiu em velocidade para os fundos da propriedade. Já Osvaldo entrou pela porta da sala e se deu por vencido.

Pioneiros do MST

Tinha certeza de que a morte era uma questão de segundos, de minutos. Não tinha armas em casa nem condições de procurar um facão na cozinha.

Acendeu as luzes e abriu todas as portas e janelas da casa, numa atitude que pode ter assustado o pistoleiro. Na sala, passou a mão no violão da filha mais velha, sentou-se num sofá e começou a cantar em voz alta cânticos que havia aprendido na igreja. Osvaldo dedilhava qualquer coisa sem nunca antes ter encostado num instrumento musical.

Ficou nessa posição até as nove, dez da noite, quando a mulher e os filhos chegaram. Ninguém tinha visto nada.

***

Nas semanas seguintes, trancado dentro de casa, Osvaldo viu que a promessa dos fazendeiros estava se concretizando. Primeiro soube do assassinato de um dirigente petista de Linhares. Um mês depois, da morte a tiros de um sindicalista de Montanha.

Passaram-se mais 30 dias, e mais um líder foi morto. Numa curva da estrada de terra entre Pedro Canário e a Vila Floresta do Sul, o presidente da associação local, Valdício Barbosa, o Léo, amigo inseparável de Osvaldo, foi pego numa emboscada. Dois tiros de escopeta na altura dos rins o derrubaram da moto. Já caído, foi atingido por um terceiro disparo, dessa vez na nuca.

O crime criou um clima de comoção e de indignação no estado. No dia seguinte, após o enterro, representantes do MST, do PT, da Pastoral da Terra e dos sindicatos se reuniram no Sítio Sadia. Todos ali temiam que Osvaldo fosse o próximo da lista. A ordem era desaparecer com ele.

Osvaldo preferiu não dar pistas a ninguém sobre o seu paradeiro. De Pedro Canário, seguiu sozinho para a propriedade do pai, em Vinhático. De lá, cinco dias depois, partiu para Belo Horizonte.

— Aquele período [de ameaças de morte] foi um verdadeiro inferno para todos nós [da família]. Hoje nem sei por que estou vivo.

***

Entre 22 de setembro de 1989 e 5 de junho de 1992, foram quase três anos escondido na capital mineira. A mulher, professora da rede estadual, permaneceu na Vila Floresta do Sul.

Os contatos com o marido eram raros e discretos. Pessoalmente, apenas de três em três meses, quando a professora conseguia tempo e dinheiro para encarar de ônibus os 800 quilômetros entre Pedro Canário e Belo Horizonte.

Por telefone, apenas Marlene poderia procurá-lo, sempre do único posto telefônico da comunidade. Para não deixar pistas, Osvaldo não ligava de volta para Pedro Canário.

***

Nos primeiros meses na capital mineira, Osvaldo viveu de favor na casa de uma tia de Marlene. Ficava escondido a cada toque da campainha. Por lá, trabalhou como servente de pedreiro e armador de ferragens. Conseguiu uma casinha e levou as duas filhas para morar com ele. Os meninos ficaram com a mãe.

Pioneiros do MST

Enquanto isso, tudo o que Osvaldo havia plantado no Sítio Sadia se perdeu com o tempo, e o sustento da casa ficou por conta do salário de Marlene.

Foi então que Osvaldo ficou cansado de se esconder.

Em junho de 1992, retornou para Pedro Canário disposto a matar e a morrer. Aquele homem pacato de tempos atrás estava revoltado com os últimos três anos de vida. Mal pisou em casa, comprou uma espingarda calibre 12, até hoje guardada no Sítio Sadia. "Perdi o medo. Vim pra matar, e não só pra morrer."

***

De volta à propriedade, Osvaldo teve muito trabalho na terra e nunca precisou usar a espingarda. Presidiu a associação de moradores da Vila Floresta do Sul e, nas eleições de 2000, candidatou-se pelo PT na disputa por uma vaga na Câmara Municipal de Pedro Canário. Perdeu mais uma.

Hoje é ministro da Eucaristia na paróquia de Pedro Canário, ligada à diocese de São Mateus. O trabalho não tem nada de político e social. É apenas religioso. "Só tenho de organizar as missas e avisar as pessoas sobre os próximos eventos."

Em relação ao Sítio Sadia, Osvaldo espera a chegada do Programa Luz para Todos para que possa irrigar os 77 hectares. Hoje há luz apenas em uma das pontas do terreno, o que o impede de bombear água de uma represa e investir no plantio de melancia, abóbora, café e pimenta.

Ao lado da sede da propriedade, Osvaldo cria alguns porcos e algumas galinhas, tem uma pequena horta e uma plantação de mandioca. Tudo para consumo próprio.

Pioneiros do MST

O restante do terreno está dividido entre a cana-de-açúcar e o gado de leite. Osvaldo cuida de 25 vacas e deixa a cana nas mãos de uma usina de álcool da vizinha Conceição da Barra.

A empresa entra com os funcionários, cuida do plantio e da colheita. Osvaldo cede o terreno, no caso, 33 hectares. Na primeira safra, 70% da produção ficam com a usina. O restante é obrigatoriamente vendido por Osvaldo à própria empresa. Na segunda safra, os valores serão invertidos. Além de cuidar do plantio e da colheita, a usina deixará 70% da produção com o proprietário.

Mas ele não vê a hora de deixar a cana de lado. "Os filhos me levaram a plantar cana. Eu não entendo nada disso."

***

Osvaldo e Marlene formam hoje uma das 200 famílias da Vila Floresta do Sul, criada na década de 1960.

Para se chegar à comunidade, basta seguir a orientação de uma única placa fincada 5 quilômetros depois do centro de Pedro Canário e 10 quilômetros antes do Sítio Sadia.

Outra opção para chegar ao povoado é perguntar o caminho da comunidade Vai Querer?. Assim mesmo, no formato de uma pergunta, ficou conhecida informalmente a Vila Floresta do Sul.

Dizem os moradores mais antigos que um dos pioneiros da região fazia a seguinte oferta aos lavradores que o procuravam em busca de emprego:

– Quem me ajudar a derrubar a madeira pra fazer o lugarejo vai ter direito a um lote de terra. Então, vai querer?

Pioneiros do MST

Quarta série

"Uma responsabilidade tem que sobrepor a outra. A responsabilidade social da coletividade sobrepõe a questão pessoal. O meu ego pode ser satisfeito, mas tem que ser por último."

Adalberto Rocha Pacheco

No trajeto entre Pedro Canário, no norte do Espírito Santo, e Alcobaça, no litoral sul da Bahia, foram 168 quilômetros. O cenário permaneceu dominado por uma imensidão de eucaliptos.

Pela BR-101, no sentido de Salvador, em qualquer desvio à direita anda-se dezenas e dezenas de quilômetros cercado por esse tipo de árvore. Entre elas, não se vê pássaros ou animais. A impressão é de estar num gigantesco deserto verde.

Aos 46 anos de idade, Adalberto Rocha Pacheco, o Betão, está no Projeto de Assentamento 40x45, num ponto isolado de Alcobaça. Até lá, partindo da cidade, são 47 quilômetros.

Os primeiros 30 quilômetros são num bom asfalto, pela estrada que liga Alcobaça a Teixeira de Freitas, município cravado às margens da BR-101 e que surgiu de um acampamento de trabalhadores da própria rodovia, no início da ditadura militar. Então distrito de Alcobaça, Teixeira de Freitas foi emancipado em 1985.

Entre Alcobaça e Teixeira de Freitas, há o povoado São José. Nele, pega-se uma trilha de terra. Até o projeto são mais 17 quilômetros, num sobe e desce repleto de pontes de madeira, bifurcações, trifurcações e mata-burros, como são conhecidas as pontes com vigas espaçadas para

Pioneiros do MST

evitar a passagem de animais. Tudo isso cercado pelos pastos de bois e pelos eucaliptos.

Em alguns casos, em meio às fazendas de gado e às rasantes revoadas de periquitos, é preciso pedir licença às vacas e aos bois deitados no meio da estrada. Um toque na buzina é o suficiente para a abertura de uma brecha.

O projeto "quarenta, quarenta e cinco" (40x45) é o resultado da primeira invasão organizada pelo MST na Bahia e na região Nordeste. Em setembro de 1987, quando os lavradores entraram na terra, toda aquela região era dominada por uma reflorestadora, com os lotes divididos por demarcações numeradas. A área escolhida para a ocupação ficava no ponto 40x45, nome que os lavradores mantiveram.

***

Betão, um dos que organizaram a invasão do 40x45, nasceu em Itapebi, município no sudeste baiano, às margens do rio Jequitinhonha.

A vida por lá, numa pequena propriedade da família, durou apenas quatro anos. Em 1966, expulsa do campo pela miséria local, a família percorreu cerca de 200 quilômetros até Belmonte, já no litoral baiano, onde o pai passou a trabalhar na loja de um cunhado.

Em Belmonte, o menino Betão começou a estudar. Concluiu a quarta série em 1972, quando mais uma vez teve de arrumar as malas. A família, após uma briga do pai com o cunhado, seguiu para o distrito de Teixeira do Progresso, às margens da BR-101, no município de Mascote, também no sudeste da Bahia.

Por lá, enquanto o pai atuava como gerente de uma fazenda, Betão e mais três irmãos trabalhavam numa padaria. Nos poucos momentos de folga, ajudavam o pai a plantar capim.

Um dinheiro extra vinha nos fins de semana. A família tinha alguns burros de carga e os utilizava para puxar madeira do mato e fazer fretes de água e de tijolos.

Por perto havia apenas uma pequena escola. Nela, por falta de opção, Betão cursou mais duas vezes a quarta série. No distrito não havia transporte até o colégio da quinta série em diante.

Essa rotina durou três anos, até que mais uma vez a família decidiu procurar novos ares. Os pais de Betão, já com 14 filhos dentro de casa, sentiam o peso de sustentá-los.

Dessa vez, o destino escolhido foi Teixeira de Freitas, então distrito de Alcobaça. A BR-101 era tocada a todo vapor pelos militares, e o distrito servia como base para os trabalhadores da rodovia.

A demanda era grande no distrito, principalmente para serviços básicos. Betão, o pai e os irmãos ganharam dinheiro desentupindo esgotos e construindo casas. Por lá, Betão conseguiu retomar os estudos. Aos 15 anos, recomeçou a quarta série.

— Eu sou bem formado em quarta série. Diria que eu sou um especialista em quarta série. Pode perguntar qualquer coisa da quarta série que eu vou dar conta do recado — brinca Betão, depois de cursar essa série uma vez em Belmonte, duas vezes em Teixeira do Progresso e outra vez em Teixeira de Freitas.

A vida na roça veio logo em seguida, com o trabalho pesado nas vastas plantações de mamão, melancia e melão, quase todas espalhadas em

Pioneiros do MST

propriedades de descendentes de japoneses que escolheram a região para concentrar seus investimentos.

No fim de 1977, o pai de Betão conseguiu emprego numa das recém-chegadas empresas de celulose, que invadiam a região e tomavam conta das áreas até então ocupadas pelos orientais. Aos poucos, os filhos foram sendo encaixados na empresa plantadora de eucalipto.

Betão, por exemplo, atuou numa serraria da reflorestadora. Ajudava a serrar madeiras nativas da região, como itapicuru e peroba, usadas na construção de casas pré-fabricadas. Também teve como função a montagem de casas para os vigilantes da empresa, instaladas no meio das recentes plantações de eucalipto.

O emprego na reflorestadora durou dois anos.

Em 1979, sem emprego fixo em Teixeira de Freitas, Betão decidiu tentar a sorte em São Paulo, assim como milhares e milhares de nordestinos. Instalou-se na casa de uma tia, na Mooca, bairro italianíssimo da Zona Leste, e logo conseguiu um trabalho.

Trabalhou em duas metalúrgicas e em uma indústria de fabricação de tubos plásticos, todas na Mooca. Mesmo sem nenhuma ligação com os sindicatos locais, cruzou os braços na greve encabeçada pelos metalúrgicos do ABC e pelo então sindicalista Luiz Inácio Lula da Silva. Foram pouco mais de dois anos na capital paulista, até a chegada do desemprego, em 1981.

Antes do retorno à Bahia, uma rápida parada em Vitória.

Na capital do Espírito Santo, por oito meses, trabalhou como ajudante-geral na construção do porto de Tubarão e participou, já com a experiência acumulada em São Paulo, da greve da indústria da construção civil – a mesma que, meses depois, motivou Sílvio Manoel dos Santos a organizar uma paralisação no Sindicato dos Trabalhadores Rurais de São Mateus.

***

No início de 1982, de volta a Teixeira de Freitas, Betão não teve como escolher emprego. Passou a trabalhar como bóia-fria nas plantações de mamão, melão e melancia. Ao mesmo tempo, freqüentava reuniões e cultos organizados pela Igreja.

Betão se identificou com o pessoal da Comissão Pastoral da Terra e das Comunidades Eclesiais de Base. Com eles, ajudou a criar o Sindicato dos Trabalhadores Rurais de Alcobaça e Teixeira de Freitas.

Além da natural reivindicação por melhores condições de trabalho para os bóias-frias, o sindicato entrou na discussão sobre o plantio exagerado de eucalipto e a investida da cana-de-açúcar. Atuou ainda na tentativa de mediar conflitos de terra, principalmente entre os pequenos agricultores e as grandes empresas de celulose.

Pioneiros do MST

Betão ganhou destaque no sindicato e foi convidado pela Pastoral da Terra a participar, em setembro do mesmo ano, de uma importante reunião em Goiânia, no momento em que agentes pastorais e lavradores de todas as regiões do país davam os primeiros passos para a criação do MST. Esse foi o chamado Encontro de Goiânia.

Betão estava no início da militância, mas já era ator de uma das regiões mais violentas do campo brasileiro.

A atuação no sindicato lhe rendeu um casamento. Foi lá, no dia-a-dia, que conheceu Maria Eurídice Nogueira Pacheco, a Liu, baiana de Itanhém e filha de pequenos produtores rurais.

O casamento aconteceu em 1984, já no município de Teixeira de Freitas, recém-emancipado de Alcobaça. Na época, já tinha sido fundado um sindicato próprio de Teixeira de Freitas, depois da transferência da antiga associação para a cidade de Alcobaça.

No fim do mesmo ano nasceu a menina Adeníldice, união pitoresca de Adalberto, do pai, e Eurídice, da mãe.

***

Dois meses após o casamento e um mês depois do nascimento da filha, em janeiro de 1985, Betão viajou para Curitiba, onde foi eleito diretor nacional no primeiro congresso do MST.

A partir daí, não parou mais em casa. Com as viagens, vieram junto as ameaças de morte. Enquanto isso, muitas vezes sozinha dentro de casa, Liu enfrentava uma segunda gravidez, dessa vez de risco, e o temor de ver o marido assassinado por pistoleiros.

O ano de 1986 seria terrível para o casal Liu e Betão.

Pioneiros do MST

Num dia de agosto, como de costume, Liu ficou tomando conta da secretaria do sindicato enquanto, nos fundos da mesma casa, Betão e outros líderes do MST tocavam mais uma reunião. A conversa dos sem-terra ocorria na sala na qual funcionava a sede do centro diocesano de Teixeira de Freitas.

No sindicato, sentada numa cadeira e com os braços apoiados na mesa, Liu lia com atenção alguns documentos quando percebeu a chegada de um Fusca vermelho. Do carro, saiu um homem negro, de 1,80 metro, cabelos e olhos pretos.

Liu não conseguiu se mexer na cadeira. O homem aproveitou as portas escancaradas, entrou no sindicato, sacou o revólver da cintura e encostou o cano no ouvido da mulher de Betão.

Nervoso e aos gritos, passou a exigir informações de Betão, sem citar o nome dele e pensando se tratar do irmão de Liu.

— Onde está seu irmão? Onde ele está?

A cada resposta negativa, Liu sentia o revólver ser pressionado com mais força contra sua cabeça. Não havia testemunhas. Eram apenas os dois. Os demais estavam nos fundos da casa.

— Você está mentindo — repetia o homem armado.

— Eu não estou mentindo. Ele sumiu faz dois meses!

— Eu poderia estourar os seus miolos agora. Mas da próxima vez eu te apago, pode esperar.

Grávida de quatro meses, Liu foi jogada contra a parede do sindicato e viu o homem sair pela mesma porta por onde havia entrado menos de dois minutos antes.

Meio cambaleando, ela ainda conseguiu notar que o fusquinha usado pelo pistoleiro estava sem placa.

Pioneiros do MST

Saiu em disparada pelo quintal da casa, subiu as escadas e começou a tremer e a gaguejar quando interrompeu bruscamente a reunião dos sem-terra.

Foi acalmada por um padre e só conseguiu explicar o ocorrido após um copo com suco de maracujá preparado às pressas.

No caminho da delegacia, Betão elogiou a mulher.

— Você agiu muito bem. Não entregou ninguém!

***

Naquele momento, a preocupação das empresas e dos fazendeiros da região não estava especificamente na articulação do recém-criado MST, e sim na atuação do sindicato.

O movimento, até então, não tinha organizado nenhuma invasão no estado, enquanto Betão e os demais diretores do sindicato já possuíam um histórico de polêmicas e conflitantes reivindicações, em especial as ligadas aos bóias-frias e às empresas de celulose.

A ameaça de agosto serviu como alerta ao casal. Não mais andaram juntos de moto. Caminhadas tornaram-se raras. E nada de rodinhas de bate-papo na porta de casa ou do sindicato.

Essas precauções não evitaram uma próxima ameaça.

Numa madrugada de outubro, Liu foi acordada com o barulho da queda de um tijolo. O som vinha do salão construído nos fundos da casa para abrigar a sonhada padaria de Betão. A obra ainda estava inacabada, e parte da parede, não cimentada. Algumas lajotas estavam soltas.

Grávida de seis meses, Liu levantou-se rapidamente e passou a mão no revólver colocado debaixo do travesseiro de Betão.

Pioneiros do MST

Por conta de mais uma viagem do marido, dessa vez ao Paraná, Liu completava um mês sozinha justamente naquele dia.

Mesmo sem nunca ter atirado, segurou firme a arma e deixou a filha Adeníldice, prestes a completar dois anos de idade, dormindo num berço ao lado de sua cama.

Calmamente, sem fazer ruídos, abriu a porta do quarto. Deu alguns passos e, ao colocar os pés na cozinha, conseguiu observar as mãos de um homem retirando uma a uma as lajotas soltas no alto do salão. Em poucos segundos ele já teria espaço suficiente para atravessar a parede.

Do lado de fora, num terreno baldio colado ao salão, não era possível enxergar a cozinha. Liu pôde então cruzá-la até a entrada do salão. De lá, segurando com força o 38, mirou na cabeça do sujeito. Errou a pontaria, mas fez o homem sair em disparada. Em menos de um minuto ela ouviu o barulho de um fusquinha arrancando no quarteirão de trás.

Os rastros do homem ficaram marcados no terreno molhado pela chuva. Ele não havia deixado pistas em Teixeira da Freitas.

Na mesma madrugada, por volta das três horas, um táxi estacionou na porta da casa. Liu olhou pela janela e enxergou o marido, com a mala nas mãos, recém-chegado do Paraná e pronto para ouvir a "novidade" ocorrida duas horas antes.

Com medo, Liu decidiu se esconder durante o restante da gestação. Betão e Adeníldice foram com ela para Itanhém, onde se instalaram na casa de um amigo.

Em 9 de dezembro, Liu sentiu contrações e, em seguida, uma forte sonolência. Dormiu bastante. No dia seguinte, já desconfiada, comentou o ocorrido com a sogra. Foram juntas ao hospital e confirmaram a morte da criança, ainda dentro da barriga.

Pioneiros do MST

Com 50 centímetros e 4,5 quilos, a menina que ganharia o nome de alguma revolucionária de esquerda foi rápida e formalmente registrada como Maria. Naquele dia, Liu enterrou a irmãzinha de Adeníldice com a certeza de que as ameaças, os sustos e as tensões daqueles meses haviam sido responsáveis pela tragédia.

***

Naquele momento Betão refluiu. Decidiu que ele e a mulher se afastariam por um tempo das atividades do sindicato e do MST. O corre-corre para escapar das ameaças tinha deixado a família numa situação financeira difícil, enquanto Liu sofria seguidas hemorragias e fortes dores de cabeça, ainda por conta da complicada gravidez.

Pouco visto nas ruas de Teixeira de Freitas, o casal passou alguns meses longe das reuniões de base, em especial daquelas organizadas em comunidades vizinhas. Betão também deixou de fazer cobranças diretamente aos fazendeiros da região, deixando essa função para outras pessoas do sindicato.

No isolamento, a partir de dezembro de 1986, Betão parou para pensar se valia mesmo a pena correr todo aquele risco de assassinato em troca das reivindicações do sindicato e da luta do MST pela reforma agrária.

Estava em dúvida. O movimento era uma organização recém-criada, e ele mal conhecia aquelas pessoas que estavam à sua volta, principalmente nos momentos de dificuldade. Não sabia se poderia contar com elas em outras ocasiões.

Pioneiros do MST

***

As perseguições pararam e, em abril de 1987, Betão decidiu retomar as atividades, principalmente no MST. Logo foi colocado no comando da organização e da seleção das famílias que participariam da primeira invasão do movimento na Bahia.

Esse trabalho durou até a madrugada de 7 de setembro, quando cerca de 450 famílias entraram na área 40x45 da reflorestadora.

Por volta das duas horas da manhã, a maioria dos sem-terra já tinha ocupado a área, enquanto Betão seguia de moto para Itamaraju. A informação recebida em Teixeira de Freitas era que um caminhoneiro havia desistido de transportar um outro grupo de sem-terra assim que descobriu se tratar de uma invasão. As famílias, com mudas de roupas, sacos com comida e ferramentas, vagavam pelas ruas da cidade.

Betão tinha de encontrar uma solução rápida, pois a polícia poderia impedir o acesso de outros sem-terra assim que soubesse da ação no 40x45. Estacionou a moto, reuniu os cinco maiores sem-terra daquele grupo e saiu batendo nas casas que tinham um caminhão estacionado na porta.

A escolha dos brutamontes foi estratégica: temia pela própria segurança ao acordar algum caminhoneiro nervoso de madrugada.

Ouviu algumas negativas, foi xingado, mas conseguiu encontrar um caminhoneiro que topou a viagem de 150 quilômetros até a área da ocupação. Betão seguiu na frente, de moto, e guiou o caminhão com os sem-terra até o 40x45.

O dia amanheceu, e Betão ajudou na organização da primeira assembléia do acampamento. Teve a ajuda de Ademar Bogo e Jaime

Amorim, recém-enviados à Bahia por Parafuso. No mesmo dia, seguiu para Salvador para outras atividades do MST.

***

Nos meses seguintes à ocupação, Betão e Liu permaneceram em Teixeira de Freitas, na base de apoio ao do 40x45. As quase três horas para percorrer os 60 quilômetros entre o município e o acampamento dificultavam a comunicação e o transporte de alimentos e medicamentos.

Foram oito meses até sair a desapropriação. Nesse intervalo, a ajuda de padres e freiras não foi suficiente.

Uma lata de óleo e uma barra de sabão, por exemplo, eram divididas por dez famílias no 40x45. Na escolinha improvisada não havia quadro-negro. Em vez disso, havia um papelão pregado com espinhos na parede do barraco de lona. O giz era um pedaço de carvão. Os poucos lápis eram quebrados ao meio, para que mais alunos pudessem usá-los. Já os bancos da sala de aula eram pedaços de madeira nativa cortados a machadadas pelos pais.

Naquele acampamento havia desde empregados de fazendas e meeiros da região até ajudantes de pedreiro e eletricistas das cidades vizinhas. Parte das famílias era ligada ao MST e parte ao prefeito de Alcobaça. Na madrugada da ocupação, o político enviou caminhões lotados ao 40x45, o que, desde o início, provocou uma divisão no assentamento.

QUARTA SÉRIE

***

Nos anos seguintes, Betão prosseguiu com as andanças pela Bahia. Era o mesmo trabalho de reunir famílias, organizar ocupações de terra, formar novos líderes e estruturar o MST.

As ameaças pareciam coisa do passado, até passar por uma tentativa de assassinato dentro de outro acampamento.

***

Em 1994, Betão decidiu passar alguns dias no acampamento Rosa do Prado, na estrada entre Prado e Alcobaça.

Numa dessas madrugadas, ele e uma dúzia de acampados deixaram os barracos de lona e seguiram a pé até as proximidades da sede da fazenda invadida. A idéia era matar alguns bois da propriedade e levar a carne para as cerca de 300 famílias acampadas do outro lado da fazenda.

No trajeto de uma hora e meia fazenda adentro, em meio ao pasto e à terra roçada, Betão percebeu três acampados andando isolados e sempre de conversa ao pé do ouvido. Ele não os conhecia.

Na chegada ao curral, Betão e um colega sem-terra optaram por ficar no alto de um morro. Ali, numa eventual aproximação de alguém da fazenda, eles avisariam o restante do grupo.

Com a ajuda de uma lanterna, monitorava a estrada de terra da propriedade e a ação dos sem-terra alguns metros abaixo. Enquanto isso, os bois eram mortos e cortados a golpes de facão e colocados, já em pedaços, dentro de sacos plásticos.

Pioneiros do MST

Para não chamar atenção, Betão somente ligava a lanterna quando necessário. Numa dessas, ao ouvir alguns passos, percebeu a aproximação rápida e isolada daquele trio.

Betão olhou para o amigo e deu o recado:

– Se vire e salve a sua pele. Agora eu vou salvar a minha.

Naquela escuridão, os três pistoleiros começaram a atirar.

Para que não pudesse ser visto, Betão saiu correndo por um pedaço de mata logo abaixo do morro. Desarmado, saiu das moitas, atravessou a estrada de terra e entrou logo em outro pedaço de mata. Não ouviu mais os tiros e seguiu em direção ao acampamento, por um caminho mais longo e mais seguro.

Betão reencontrou o amigo do qual havia se dispersado no mato e chegou ao Rosa do Prado por volta das seis horas da manhã. Ele reuniu o pessoal de apoio do acampamento e, assim que relatou a tentativa de assassinato, foi informado de que o trio de pistoleiros infiltrados já havia passado por lá, recolhido as roupas deles do acampamento e saído pela estrada. O trio não deixou pistas, só suspeitas.

***

No ano seguinte, refeito do susto, Betão conseguiu um lote de terra no assentamento 40x45. Em agosto, ao lado de Liu e das filhas Adeníldice, então com 11 anos, Janaína, com 7, e Ana Íris, com 5, mudou-se para um lote de 25 hectares abandonado por uma outra família.

O dirigente do MST deu pouca atenção àquele pedaço de terra. Deixou o lote na mão de amigos e de familiares e seguiu nas atividades do movimento. A família ficava no 40x45 enquanto Betão passava meses em outras cidades.

Foi assim em Salvador, na articulação do movimento com universidades. Morou também em municípios do recôncavo baiano e do Nordeste do estado. Nesse meio tempo, concluiu o primeiro grau e se separou amigavelmente de Liu.

Desde 2005 ele está em Barreiras. Com uma moto, o agora diretor estadual do movimento percorre todo o oeste e o centro-sul baiano, em especial Barreiras, Bom Jesus da Lapa e Santa Maria da Vitória.

A função continua a mesma: selecionar famílias, organizar ocupações de terra, formar novos líderes e estruturar o movimento. "Uma responsabilidade tem que sobrepor a outra. A responsabilidade social da coletividade sobrepõe a questão pessoal. O meu ego pode ser satisfeito, mas tem que ser por último", diz.

***

Entre agosto e setembro de 2007, Betão passou um mês no 40x45. Visitou Liu e as filhas, deu uma olhada no lote e ajudou a organizar lá mesmo a festa de 20 anos do MST baiano.

Passadas duas décadas da ocupação, o 40x45 está apenas um pouco menos isolado. É dura a rotina dos assentados que precisam pagar uma conta, sacar um dinheiro, ser atendidos num posto médico ou fazer compras no supermercado ou na farmácia.

Até o centro de Alcobaça, por exemplo, leva-se duas horas num ônibus que sai todos os dias às 5h40 da agrovila. Há uma outra linha de ônibus, que parte diariamente às 5h30 do assentamento e só chega três horas depois a Teixeira de Freitas.

Tudo isso, é claro, sem chuva. Quando essas trilhas de terra cascalhada viram um lamaçal, é comum os ônibus atolarem ou nem mesmo arriscarem esses trajetos.

Se o acesso ao assentamento é precário, a comunicação é muito pior. No 40x45, celular é algo bem distante.

A pergunta é óbvia: sem a pressão do governo, o que levaria uma operadora a investir numa torre de transmissão que beneficiaria apenas um grupo de lavradores no meio do nada?

Os assentados não têm a resposta e preferem reivindicar mais telefones públicos. Na agrovila há apenas um orelhão, instalado em 1999, dois anos após a chegada da energia elétrica.

No assentamento não falta água. Uma represa e poços artesianos dão segurança às famílias até durante a estiagem.

Por lá, tudo é individualizado. As poucas experiências de trabalho coletivo foram extirpadas, muito por conta do racha entre as famílias ligadas ao MST e aquelas levadas no início pelo prefeito de Alcobaça. Um lado não aceita o que é proposto pelo outro.

Um exemplo desses embates é a questão da negociação dos lotes. A legislação federal dá ao assentado que cumprir todas as etapas previstas nas instruções normativas do Incra o direito de receber o título daquele pedaço de terra. Após dez anos, com o documento em mãos, ele pode vender o lote do assentamento.

Antes disso, sem a papelada, é proibido negociar a área. Mas já houve casos por lá de lote vendido por 70 mil reais.

No 40x45 há alguns assentados com os títulos em mãos. Os lavradores ligados ao MST também teriam esse direito, mas se recusam a retirar a papelada na sede da superintendência regional do Incra, em Salvador. O temor dos líderes do movimento é que, em poucos anos, as empresas de papel e celulose que cercam de eucalipto o assentamento possam comprar legalmente dezenas desses lotes.

A investida dessas empresas começou. Há famílias plantando eucalipto para colher em sete anos. Algumas delas plantam 100 mudas da árvore no lote. Indignados, Betão e os assentados ligados ao MST nada podem fazer, a não ser atuar em campanhas pelo plantio de árvores nativas, como o pau-brasil.

Por enquanto, o plantio de eucalipto e de cana ainda é coisa de uma minoria. No 40x45 há muito gado de leite, além de hortas e plantações de mandioca, batata e banana.

***

Pioneiros do MST

Ameaçada pelas empresas de celulose, a identidade do assentamento também pode ser afetada pelos próprios lavradores. A agrovila do 40x45 tem crescido num ritmo fora de controle.

Em 1988, quando o assentamento foi criado, cada família ganhou um lote de 25 hectares mais ou menos, e um outro pedaço de terra para construir uma casa na agrovila do assentamento. Lá, cada família teria uma casinha e poderia abrir um pequeno comércio e freqüentar a igreja do assentamento.

No começo foi assim que funcionou. O problema é que, quase 20 anos depois, o espaço que seria de socialização dos assentados está hoje mais com cara de um povoado.

Filhos, sobrinhos e netos de assentados vão se casando e construindo ao redor da agrovila. O espaço vai crescendo, um não conhece mais o outro, criam-se desavenças comuns de centros urbanos, e o volume de lixo e de esgoto só aumenta. Aquela nova família fica desvinculada dos lotes de terra e obviamente distante da organização esperada pelos pioneiros do projeto.

— Os filhos ou os netos do assentado que quiserem construir a sua casa que o façam dentro do lote da família, e não na agrovila. Isso aqui logo vai virar um povoado descaracterizado do assentamento — afirma Betão.

Pioneiros do MST

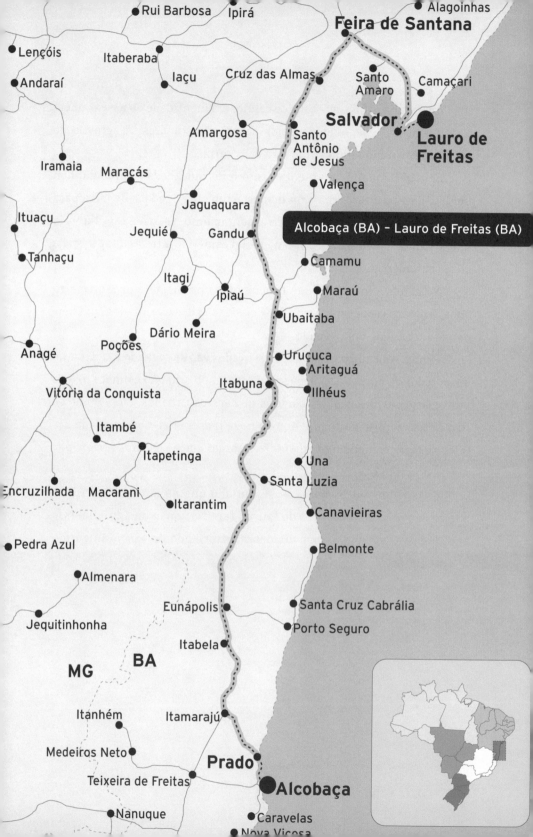

Frei Carmelo

"[A época da CPI da Terra] foi o momento mais difícil da minha vida. Pra mim e para a própria família."

Francisco Dal Chiavon

A partir de Alcobaça, um percurso de 830 quilômetros até Lauro de Freitas, município da região metropolitana de Salvador. Lá, aos 54 anos, está Francisco Dal Chiavon, o Chicão, um dos responsáveis, no início da década de 1990, pela implementação do sistema de cooperação agrícola nos assentamentos do MST.

Chicão é um recém-chegado a terras baianas. Trocou Brasília por Lauro de Freitas por dois motivos: o primeiro, e principal, é o fato de a mulher, Eva Maria, ter sido chamada para trabalhar no governo petista de Jaques Wagner. O segundo, uma conseqüência do primeiro, é a estratégia para auxiliar os assentados do estado.

O que se vê na Bahia são muitos assentamentos do MST e uma escala de produção ainda muito abaixo do potencial das terras destinadas à reforma agrária.

Em Lauro de Freitas, Chicão vive num bairro afastado da praia. Está numa das três casas de um pequeno condomínio fechado. O bairro é de classe média, e o aluguel é pago pela mulher, chefe da Casa Civil do governo da Bahia. Chicão recebe apenas uma ajuda de custo mensal do movimento e se mantém ativo na militância, com o apoio da mulher e dos três filhos.

Pioneiros do MST

***

Filho de um gaúcho e de uma italiana, Chicão nasceu em Nova Itaberaba, então distrito de Chapecó, Santa Catarina. Os pais dele haviam deixado a Serra Gaúcha para colonizar o oeste catarinense.

A infância e a adolescência de Chicão e dos outros 14 irmãos foram passadas numa pequena propriedade de 25 hectares. A partir de 1960, trocaram o trigo pela plantação de fumo e, logo em seguida, abriram as portas à criação de porcos, uma novidade na região.

A comunidade estava a 30 quilômetros de Chapecó e a 4 quilômetros do povoado de Nova Itaberaba. Quando chegou à região, em meados da década de 1940, a família Dal Chiavon abriu a primeira trilha entre a comunidade e o município de Chapecó. Todos os sítios da família eram absolutamente cercados pela mata.

Outras trilhas vieram a seguir. Por uma delas, em carroças puxadas por mulas, os Dal Chiavon levavam uma semana para transportar farinha de milho e de trigo ao distrito de Guatambu. Ida e volta, eram 60 quilômetros em sete dias de viagem.

***

Chicão começou a trabalhar cedo na lavoura. Aos 9 anos, foi pela primeira vez à escola. Era roça pela manhã e sala de aula à tarde. O Grupo Escolar de Nova Itaberaba ficava a 4 quilômetros da propriedade dos Dal Chiavon. Chicão, irmãos e vizinhos seguiam descalços por aquela trilha de terra.

Os estudos de Chicão pararam no limite daquela escola: a quinta série. Então com 14 anos de idade, passou a se dedicar apenas à lavoura de fumo e à criação de porcos da família.

Com prazer, a mãe cuidava da horta, enquanto as vacas do sítio nunca deixavam faltar leite aos 15 filhos. Carne de porco também nunca faltou, muito pelo contrário.

O pai de Chicão tinha um cuidado especial com o vinho produzido na propriedade, todo guardado em pipas no porão da casa. Cada filho poderia tomar uma caneca ao fim de cada dia de trabalho. Nada além disso. A economia era tamanha que, sempre nos meses de janeiro e fevereiro, ele tinha de jogar o vinho restante fora, para abrir espaço nas vasilhas para os litros da nova produção.

Além de pioneiro, o pai de Chicão era o líder da comunidade. Ao deixar o Rio Grande do Sul, na década de 1940, fez questão de manter a assinatura do *Correio Riograndense*. O jornal era voltado para as famílias evangelizadas pelos missionários capuchinhos, mas também vinha abastecido com o noticiário nacional.

Editado em Caxias do Sul, o semanário chegava sempre com alguns dias de atraso em Nova Itaberaba, mas fazia do pai de Chicão o agricultor mais atualizado por lá. Muito religioso, era ele quem comandava a reza do terço aos domingos.

O padre de Chapecó só aparecia no distrito de dois em dois meses. Ia sempre num domingo, para rezar a missa, e Chicão e os irmãos viam naquilo a chance de sair um pouco da comunidade, de ver gente. Aquela obrigação para os pais era um divertimento para a molecada. Adoravam subir todos na charrete e ir juntos pelos 4 quilômetros da trilha de terra.

Pioneiros do MST

Foram justamente essas idas aos domingos que aproximaram Chicão das atividades da Igreja Católica. Ele logo se tornou ajudante da capela, passou a fazer leituras durante os cultos e virou catequista da comunidade.

Tudo isso com mais ênfase a partir da década de 1970, quando a Diocese de Chapecó incentivou a criação dos chamados grupos de reflexão nos distritos. Chicão era um líder desses grupos. Reunia-se com o padre e levava a mensagem às comunidades, sempre com um recado da Bíblia e um assunto palpitante qualquer.

Chicão atuou nas pastorais da Igreja Católica e numa dessas atividades, conheceu a mulher, Eva Maria, também catarinense de Chapecó e então militante da Pastoral da Juventude.

No início da década de 1980, Chicão abriu seu leque: ajudou a fundar o PT local e organizou a chapa de oposição que assumiu o comando do Sindicato dos Trabalhadores Rurais de Chapecó.

Na época ministro da Eucaristia, Chicão era muito ligado ao então bispo de Chapecó, dom José Gomes, defensor ferrenho da reforma agrária, mais tarde presidente do Conselho Indigenista Missionário e da Comissão Pastoral da Terra, e que passou a ser conhecido no MST como o "bispo dos sem-terra".

Na Pastoral da Terra, Chicão conheceu José Fritsch, com quem começou a organizar os sem-terra da região de Chapecó e que, em 2003, seria nomeado ministro da Pesca no governo Lula.

A primeira atividade de Chicão com outros líderes de trabalhadores rurais ocorreu em setembro de 1983, no Rio Grande do Sul. Foram dois atos. O primeiro deles em Porto Alegre, no dia 6, na Assembléia Legislativa. O segundo, no dia seguinte, nas glebas Macali e Brilhante, em Ronda Alta, ocupadas quatro anos antes.

Pioneiros do MST

Esses dois atos foram coordenados pelos sem-terra da chamada Regional Sul, grupo que dava os primeiros passos para a criação, no ano seguinte, do MST. Eram de cinco estados: Rio Grande do Sul, Santa Catarina, Paraná, São Paulo e Mato Grosso do Sul.

***

A organização dos sem-terra do oeste de Santa Catarina ocorreu durante 1984. No ano seguinte, em Curitiba, Chicão foi um dos escolhidos para integrar a primeira direção nacional do movimento. Ele voltou a Santa Catarina para colocar em prática a ordem do congresso: "Ocupação é a única solução."

As áreas foram escolhidas pelos líderes dos sem-terra, e uma onda de ocupações foi agendada para o fim de maio.

Uma semana antes, Chicão viajou para Brasília com João Pedro Stedile e Jandir Basso. Na ocasião, o governo de José Sarney queria ouvir a opinião do MST sobre o esboço do primeiro Plano Nacional de Reforma Agrária.

Foram três dias de bate-papo. Nos intervalos da agenda oficial, Chicão aproveitava para explicar aos amigos Stedile e Jandir a quantas ia a organização daquelas que seriam as primeiras invasões de terra do movimento em Santa Catarina.

No retorno ao estado, Chicão foi procurado por dom José Gomes.

O bispo estava preocupado com as conversas sobre ocupações. Defendia a distribuição de terras, mas temia os conflitos. Ele conhecia muito bem o histórico da violência contra os trabalhadores rurais da região, por isso achava prudente que os sem-terra priorizassem caminhadas e acampamentos, por exemplo. Para ele, a entrada nas fazendas seria um risco desnecessário.

— Vocês vão ocupar mesmo? — o bispo quis saber.

As ações já estavam definidas para os dias seguintes, mas Chicão não quis deixar o amigo religioso mais preocupado.

— Dom José, ainda temos uma reunião. Vamos ver o que o pessoal vai decidir.

As ocupações ocorreriam no fim de semana, na madrugada de sábado para domingo. Dois dias antes, na quinta-feira à noite, quando os líderes do movimento já estavam mobilizados, estocando alimentos, alugando caminhões e comprando lonas para a montagem dos barracos, Chicão viajou de novo para Brasília, dessa vez como convidado de um congresso da Confederação Nacional dos Trabalhadores na Agricultura (Contag).

Chicão chegou no sábado ao Distrito Federal.

À noite, do quarto do hotel, telefonou para dom José Gomes, já devidamente ciente das ações e engajado na organização. Chicão queria saber do religioso como estavam os preparativos para as ocupações que ocorreriam em algumas horas.

— E aí, dom José, como é que está o tempo?

— O tempo está bom, Chicão. Está estrelado, tudo bem — respondeu o bispo, com voz baixa, demonstrando preocupação com os riscos daquelas ações, uma novidade para todos eles.

Ainda hoje o sigilo de uma ocupação é fundamental para o seu sucesso. Naquele tempo era primordial. O país acabava de sair de uma ditadura, e os órgãos de repressão ainda estavam com as estruturas de alerta atuantes. A qualquer vacilo, a polícia poderia cercar a área ou montar barreiras nas estradas.

Pioneiros do MST

Por isso, assim como Chicão e dom José fizeram nesse dia, falar em código era mais do que uma simples precaução. Uma pergunta sobre as condições do tempo, por exemplo, era uma forma de buscar novidades da organização dos sem-terra para as ações. Uma resposta de céu estrelado era sinal de que as coisas caminhavam conforme o combinado, sem problemas com a polícia e com as famílias.

Naquele telefonema, o que Chicão menos queria ouvir era uma resposta de tempo ruim, chuva, relâmpagos e trovoadas.

O diretor nacional do MST desligou o telefone, ainda ansioso. Nos sete dias seguintes, os sem-terra organizados pelo MST, pelo sindicato e pela Pastoral da Terra entraram em 12 fazendas, a maioria delas no domingo, na região de Abelardo Luz, onde hoje vive Jandir Basso.

Pioneiros do MST

Uma grande festa católica realizada no mesmo fim de semana ajudou a confundir a polícia. Caminhões lotados de sem-terra cruzavam os postos rodoviários como se fossem caravanas de romeiros rumo à festa de Nossa Senhora de Caravaggio, em Guaraciaba, a 150 quilômetros de Chapecó.

Chicão ficou sabendo do sucesso das invasões na manhã seguinte, num telefonema ao amigo José Fritsch. Dessa vez uma conversa sem código, pois não havia mais motivo para segredos.

As ações foram notícia em todo o país. Na segunda-feira, um dia após o presidente José Sarney ter participado em Brasília de um congresso nacional da Contag, Chicão seguiu para reuniões com o comando do Incra, aproveitando a presença estratégica na capital federal. As negociações envolviam também o governo catarinense.

A pressão das autoridades era pela desocupação imediata das áreas, enquanto o MST exigia o compromisso dos governos para assentar aquelas famílias.

Uma reunião foi marcada para domingo à noite, em Chapecó, principal cidade no entorno daquelas invasões. Antes disso, na sexta-feira, Chicão deixou Brasília e seguiu direto para uma reunião da direção nacional do movimento, em São Paulo.

No sábado à noite, após a reunião, Chicão, Fritsch e Stedile embarcaram juntos num ônibus para o oeste catarinense.

No dia seguinte, em Chapecó, foi fechado um acordo com os governos estadual e federal. Chicão seguiu na mesma noite para Florianópolis num avião do governo catarinense, e o termo de compromisso foi assinado no início da madrugada.

As famílias deixaram as áreas ocupadas, montaram dois grandes acampamentos e foram assentadas aos poucos. O processo, prometido para 60 dias, durou quase três anos.

***

A conversa com dom José não foi a única em código na trajetória de Chicão. Em setembro de 1984, ainda como coordenador provisório do movimento, combinou uma senha com a mulher antes de seguir de ônibus para uma assembléia de sem-terra em Ouro Preto do Oeste, no interior de Rondônia.

Pioneiros do MST

O casal não tinha telefone, por isso, assim que colocou os pés em Rondônia, Chicão telefonou direto para a Diocese de Chapecó, onde Eva Maria, enfermeira sanitarista, atuava na coordenação do atendimento às famílias da região.

— Quem é? — perguntou a secretária da diocese.

— É o frei Carmelo — respondeu Chicão.

— Quer falar com quem?

— Com a Eva, por favor.

Já ciente do código, Eva pegou o telefone.

— Alô, frei Carmelo?

— Olha, está tudo bem aqui. Cheguei bem de viagem.

— Aqui também está tudo bem — respondeu Eva Maria.

***

Os códigos também foram bastante usados na estratégia montada para a onda de ocupações de maio de 1985.

Telefone fixo naquela época, ainda mais na zona rural, era raridade. Por conta disso, nas reuniões que antecederam as invasões, ficou estipulado entre os líderes do movimento que a data das ações seria informada por meio das rádios locais.

Funcionava mais ou menos assim:

1) Numa reunião enxuta em Chapecó, o comando do MST definia a data de determinada invasão;

2) Um dos sem-terra ia à rádio local e pedia que, no horário reservado aos avisos, fulano fosse informado sobre a "festa";

3) Sem saber do que se tratava, o locutor apenas lia a mensagem: "Atenção, beltrano manda avisar fulano que a festa será no dia tal."

4) Fulano, ciente de que tinha de sintonizar a rádio todos os dias naquele horário, recebia a mensagem sobre a "festa" e saía organizando famílias, lonas, comidas e caminhões.

Fulano era avisado da data. A fazenda que seria ocupada só era informada pessoalmente no dia da ação. Quanto menos gente soubesse, mais chances de sucesso.

Além da absoluta e estratégica discrição antes de qualquer invasão, os líderes do movimento também tinham de se desdobrar para evitar a entrada de bebida alcoólica nos acampamentos. Essa preocupação existe até hoje, mas já incomodava a cabeça de Chicão no início do movimento.

Os sem-terra dependentes da bebida faziam e ainda fazem de tudo para driblar a fiscalização da coordenação dos acampamentos e entrar com um pouco de cachaça nas áreas ocupadas.

Chicão já encontrou uma garrafa de pinga dentro da cabeça de um boi carregada numa sacola nas costas do sem-terra, saquinhos plásticos cheios de cachaça enfiados cuidadosamente dentro dos mastros de bambu das bandeiras do movimento, saquinhos plásticos escondidos no couro usado para guardar o facão na cintura, latas de leite em pó cheias de pinga e até garrafas escondidas na carcaça de um rádio.

***

Na terra da família, os irmãos Dal Chiavon dividiam o trabalho e depois o lucro da produção. Tudo em partes iguais. Em meados de 1983, como já não conseguia parar em casa por conta da série de viagens, Chicão contratou uma pessoa para que fizesse a parte dele no esquema de divisão com os irmãos.

Isso durou dois anos. Em meados de 1985, aos 32 anos de idade, Chicão se mudou para Chapecó, onde estava a secretaria do movimento, e abdicou da produção na propriedade. A partir dali, dedicação exclusiva ao MST, ao sindicato e ao partido político.

No ano seguinte, Chicão deixou Eva Maria em Santa Catarina e partiu para um período de estudos em Cuba. Foram seis meses em Havana, num grupo de 82 pessoas da América Latina, todas elas ligadas a sindicatos, movimentos, partidos de esquerda e entidades religiosas. Do MST eram quatro os representantes, entre eles Chicão e José Rainha Jr.

Pioneiros do MST

Chicão se destacou nos cursos de cooperação agrícola e foi selecionado para passar três meses na Bulgária, mais uma vez em aulas sobre as atividades ligadas às cooperativas. Foram nove meses seguidos fora de casa, entre janeiro e setembro.

No período, enquanto estudava em Cuba, o nome de Chicão foi parar por engano nas páginas dos jornais.

As notícias davam conta de que a polícia paulista estava à procura de Francisco Dal Chiavon, conhecido como Chicão e motorista do então deputado federal petista José Genoíno.

O motorista Chicão do parlamentar havia de fato participado do confronto entre a polícia e os canavieiros da região de Leme, no interior do estado, mas, ao puxar apenas esse apelido no arquivo policial, espalharam o nome completo do diretor nacional do MST.

***

Chicão voltou do exterior cheio de novas atribuições. Permaneceu na direção do movimento, mas, por uma orientação dos sem-terra, passou a atuar formalmente no sindicato e no partido.

Entre 1987 e 1989, tornou-se um quadro do MST na Central Única dos Trabalhadores (CUT). Foi vice-presidente da seção catarinense e dirigente do departamento rural da central sindical. Em meio a isso, nas eleições de 1988, saiu como vice de José Fritsch na chapa petista derrotada na disputa pela prefeitura de Chapecó.

Ao incluir quadros na CUT e no PT, o MST quis se aproximar do meio urbano e obter uma retaguarda política em meio a invasões de terra e assassinatos de trabalhadores rurais.

***

Essa retaguarda seria importante com a eleição de Fernando Collor de Mello, no fim de 1989. Ele só assumiria a Presidência da República em março do ano seguinte, mas, assim que teve a vitória confirmada nas urnas, num segundo turno contra Lula, a direção nacional do MST organizou uma reunião de emergência.

Era preciso traçar uma tática de defesa diante da inevitável repressão que viria contra os sindicatos e os movimentos sociais. Naquele momento, o MST definiu três linhas de ação:

1) Retirar do campo o único foco do movimento. No meio do mato, avaliavam os líderes, o MST seria facilmente reprimido, assim como o foram as Ligas Camponesas após o golpe de 1964. Teriam de ser criadas estratégias para levar as reivindicações às cidades. Desse modo, ao se tornar simpática a essa demanda, a população urbana serviria como escudo contra eventuais exageros das forças federais e estaduais. Essa aproximação seria feita por meio de caminhadas e atos públicos, sempre com o apoio do PT, da CUT e da Igreja Católica.

2) Buscar apoio político em alguns governos estaduais.

3) Aprimorar a organização interna do movimento. A começar pelas ocupações, que teriam de ser cada vez mais sigilosas e com um número cada vez maior de famílias. Invasões com meia dúzia de sem-terra seriam alvo fácil para despejos rápidos e violentos.

Mas o foco desse aprimoramento interno estaria numa melhor organização dos próprios assentamentos. Uma resposta de qualidade e de produção seria a forma de encarar o governo Collor.

Foi aí que Chicão se ofereceu para cuidar da terceira parte do plano

Pioneiros do MST

de emergência do MST. Ele deixaria de lado as estratégias de ocupação para lidar diretamente com os assentamentos.

O modelo tradicional de cooperativas, para ele, estava esgotado. Era preciso criar um novo modelo. Foi então que líderes do MST foram estudar modelos em diferentes países.

Após visitas aos *ejidos* mexicanos, às CPAs cubanas, aos *kibutzim* israelenses e aos colcozes soviéticos, entre outros, definiu-se que, pelo menos nos assentamentos do MST, uma forma de cooperação agrícola deveria ser implantada. Ela seria flexível: desde o simples uso compartilhado de um trator até a criação de uma associação.

– Isso fortaleceu o lado interno do movimento, no momento de fazer a articulação com a sociedade – afirma Chicão.

***

Em 1991, aos 38 anos, Chicão trocou Chapecó por Brasília. Deixou Santa Catarina pela primeira vez e levou junto a mulher e os filhos: Augusto, de 4 anos, e Luara, de 1 ano.

A idéia do MST ao mantê-lo na capital federal era facilitar seus deslocamentos de ônibus aos estados e também fazê-lo representar o movimento na articulação com governo federal e o Congresso.

A princípio, foi definida a organização dos assentamentos em sete estados: Rio Grande do Sul, Paraná, Santa Catarina, São Paulo, Espírito Santo, Bahia e Ceará. Nesses estados seriam feitos testes com os modelos de cooperativas vindos do exterior.

As viagens de ônibus faziam parte da rotina de Chicão. Cansou de fazer o trajeto de 57 horas entre Brasília e Fortaleza. Houve situações em que passou pouco mais de 20 dias longe de casa, como num deslocamento Brasília-Fortaleza-Teresina-São Luís-Imperatriz-Brasília.

Nessas viagens, em pleno governo Collor, Chicão mantinha a discrição sugerida pelo movimento. No ônibus, por exemplo, a orientação era não esticar conversa com o passageiro sentado no banco ao lado. No máximo, breves comentários sobre Carnaval e futebol. Havia exemplos recentes de sem-terra desprevenidos que contaram histórias e mais histórias ao desconhecido e foram surpreendidos com uma carteirada da polícia no fim da viagem.

***

Com um ano em Brasília, Chicão ajudou a criar a Confederação das Cooperativas de Reforma Agrária do Brasil (Concrab), entidade para organizar a produção dos assentamentos e ser o braço legal do MST na assinatura de convênios com os governos federal e dos estados. A Concrab reúne cooperativas de produção agropecuária e cooperativas regionais de comercialização, além de associações e cooperativas centrais nos estados.

Ao assumir a presidência da Concrab, em maio de 1992, Chicão pediu para se desligar da direção nacional do MST, onde estava desde o congresso nacional de 1985. Queria se dedicar apenas às burocracias ligadas à qualificação dos assentamentos.

***

Sempre no comando da Concrab, Chicão trocou Brasília por Chapecó no fim de 1998. Cinco anos depois, com a eleição de Lula à Presidência, retornou com a família à capital federal.

Pioneiros do MST

O retorno a Brasília foi para participar diretamente das articulações do movimento com o governo petista. E logo viu o MST como pivô da primeira crise política da gestão Lula.

Em meados de 2003, no momento em que o país vivia sob uma intensa onda de ocupações e protestos dos sem-terra, o presidente Lula decidiu receber um grupo do movimento para uma audiência no Palácio do Planalto.

A oposição, historicamente contrária ao diálogo com os sem-terra, não gostou daquela atitude do presidente, vista como um estímulo do Planalto às invasões de terra no país. Lula colocou o boné vermelho do movimento diante de fotógrafos e cinegrafistas, o que trouxe à tona a chamada "Crise do Boné".

Planalto e oposição passaram semanas trocando farpas por conta do gesto do presidente. A crise resultou na criação de uma comissão parlamentar de inquérito (CPI) para investigar o MST e, por tabela, desgastar o governo federal. Formada por deputados e senadores, a maioria deles ligada à chamada bancada ruralista, a comissão recebeu o nome de CPI da Terra.

No ano seguinte, com a CPI em pleno funcionamento, a Concrab virou um dos focos das investigações, e Chicão passou pelo momento mais difícil de sua vida.

O nome dele saía no jornal em meio a denúncias de desvios de verbas e falhas na contabilidade da entidade, enquanto, em Santa Catarina e no Distrito Federal, a família Dal Chiavon acompanhava aflita o noticiário.

Uma enxurrada de documentos vazava da CPI, e Chicão se sentia acuado. Decidiu então se apegar a detalhes da vida de militância.

Lembrou, por exemplo, dos momentos tensos de organização e efetivação das ocupações de terra, quando tinha de tomar decisões em minutos. Agora, diante da CPI, tinha de absorver as acusações e saber como respondê-las.

Com o apoio da família e o suporte do movimento, Chicão absorveu aquele momento como algo inevitável, uma espécie de teste de fogo obrigatório para quem havia optado anos antes pela militância num movimento de lavradores sem terra.

Na cabeça dele estavam o livro *Batismo de sangue*, de Frei Betto, lido 20 anos antes, nos tempos de Pastoral da Terra, e o filme *Olga*, sobre a vida da líder comunista Olga Benário Prestes, visto seguidas vezes naqueles tempos de CPI.

O momento mais complicado veio em junho de 2005, com a convocação para depor numa sessão da CPI.

No comando do MST definiu-se que Chicão não deveria responder às perguntas de deputados e senadores, e muito menos falar à imprensa, onde, na visão do movimento, o espaço para declarações seria reduzido, com chances reais de deturpação.

– Eu nunca dei entrevista para ninguém. Você não tem controle, fica sem nenhum meio para se contrapor – afirma Chicão.

A estratégia de optar pelo silêncio de Chicão foi definida dias antes e ratificada na noite anterior ao depoimento, numa reunião com líderes e advogados na secretaria do movimento em Brasília.

Na tarde do dia seguinte, Chicão entrou apreensivo no Senado. Pelo ineditismo da situação, estava preocupado, mas, conforme o combinado, calou-se diante de deputados e senadores. Participou da sessão ao lado de Pedro Christofoli, secretário-geral da Associação Nacional de Cooperação Agrícola (Anca), também ligada ao MST.

A mídia acompanhou o depoimento.

A *Folha de S.Paulo*, por exemplo, deixou o silêncio de Chicão em segundo plano e destacou: "A divisão entre parlamentares simpáticos ao

MST e a bancada ruralista no Congresso deve fazer com que a CPI da Terra chegue ao final com dois relatórios – em vez de um texto único do relator."

Já *O Estado de S. Paulo* preferiu destacar a estratégia do MST: "Numa sessão tumultuada no Senado, o secretário-geral da Associação Nacional de Cooperação Agrícola (Anca), Pedro Christofoli, e o presidente da Confederação das Cooperativas de Reforma Agrária do Brasil (Concrab), Francisco Dal Chiavon, se recusaram a responder, em depoimento à CPI da Terra, à maioria das perguntas dos parlamentares a respeito do suposto uso indevido de recursos públicos destinados à reforma agrária. A CPI investiga as atividades das duas entidades, ligadas ao Movimento dos Trabalhadores Rurais Sem Terra (MST)."

A CPI caiu no esquecimento da oposição assim que veio à tona o escândalo do mensalão, em junho de 2005.

– Foi o momento mais difícil da minha vida. Para mim e para a própria família.

***

Longe das CPIs, da presidência da Concrab e de Brasília, Chicão agora passa seus dias num escritório montado no alto do sobrado alugado pela mulher em Lauro de Freitas.

Raras vezes usa o computador. Prefere ficar horas estudando o calhamaço sobre agroecologia do professor Stephen R. Gliessman.

São 700 páginas, em destaque numa minibiblioteca montada no fim de uma escada de madeira, próxima a um quadro de Ernesto Che Guevara. Ao lado do rosto do revolucionário, a mensagem: *"Hay que endurecerse, sin perder la ternura jamás."*

Chicão pouco vai à secretaria do movimento em Salvador. Quando arrisca uma visita, leva duas horas de ônibus entre Lauro de Freitas e o centro da capital. Por isso, prefere resolver tudo por telefone. Às vezes, por e-mail.

O trabalho dele é mais em campo. Viaja por todo o interior baiano, de olho nas cerca de 10 mil famílias assentadas do MST, e pelos demais pontos do Nordeste, em reuniões com militantes. Na Bahia, o desafio é organizar e ampliar a produção de cacau, leite, biodiesel e café nos assentamentos, além de criar uma marca de farinha de mandioca ligada ao movimento.

Há ainda uma responsabilidade acumulada dos tempos de Brasília: visitar, a cada dois meses, assentamentos em Mato Grosso. O objetivo por lá é colocar em prática um novo modelo de disposição dos agricultores nos assentamentos, integrando ao máximo lotes e produção.

Na sala da casa em Lauro de Freitas, Chicão deixa exposto um quadro pintado a óleo, em 2004, pela filha Luara. Foi um presente ao pai pela

Pioneiros do MST

conclusão do primeiro e do segundo graus, exatamente 27 anos após ter deixado o Grupo Escolar de Nova Itaberaba.

No quintal, uma pequena horta é tratada com cuidado pelo coordenador nacional do MST. Pepino, tomate, rúcula, alface, cenoura e brócolis plantados com sementes agroecológicas, todas sem nenhum agrotóxico e produzidas num assentamento do movimento no interior do Rio Grande do Sul.

As experiências da micro-horta são levadas por Chicão aos assentamentos do MST e ao município paranaense de Lapa, onde faz o curso superior de tecnólogo em agroecologia, organizado numa parceria entre o MST e a Universidade Federal do Paraná.

O curso exige a presença dos alunos em duas etapas de 60 dias por ano: são mais viagens de ônibus para Chicão.

Pioneiros do MST

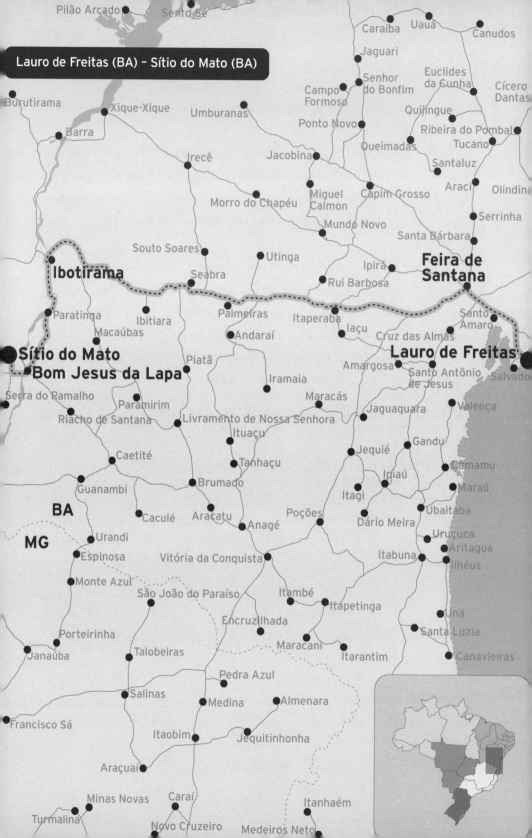

Lavadeira do São Francisco

> **Sentia o impacto [do preconceito] quando os homens eram apresentados à tesoureira [do sindicato]. Tinha piadinhas de mau gosto. 'E aí, tal? O que está fazendo aí?'**

Olinda Maria de Oliveira

O próximo destino é a minúscula Sítio do Mato. De Lauro de Freitas até lá, no centro-sul baiano, foram 840 quilômetros. Nos primeiros 650 quilômetros, o deslocamento é agradável, com um bom asfalto e a bela paisagem da Chapada Diamantina.

Esse cenário, porém, muda drasticamente a partir de Ibotirama, quando é necessário virar à esquerda, rumo a Bom Jesus da Lapa. Troca-se a rodovia federal pela BA-160. Aliás, não seria ironia chamá-la de Buraco Aberto-160.

A trilha, chamada de estrada asfaltada pelo governo baiano, é repleta de crateras. É difícil sair desse trecho de 140 quilômetros sem um pneu furado ou uma roda amassada. Quem lucra são os borracheiros de Paratinga, no meio do caminho.

Bom Jesus da Lapa, ponto turístico para romeiros, é o principal município da região. De lá a Sítio do Mato são 45 quilômetros. No trajeto, além de uma longa ponte sobre o rio São Francisco, passa-se por mais e mais buracos naquilo que restou do asfalto.

Chega-se à cidadezinha de Sítio do Mato. A partir dela, numa trilha seca e arenosa, foram mais 26 quilômetros até o assentamento no qual, aos 57 anos, está Olinda Maria de Oliveira.

***

Olinda é baiana de Macaúbas, município colado a Bom Jesus da Lapa. Cresceu numa pequena propriedade da família, com cinco irmãos e quatro irmãs.

O pai plantava feijão e milho e criava cabras e duas vacas de leite. Já a mãe era responsável por uma pequena padaria instalada dentro da própria casa. Um balcão de madeira era o ponto de encontro da família com os fregueses do povoado Cristais.

Aos 6 anos, Olinda já trabalhava na padaria. No fim da tarde, ao lado de irmãos e irmãs, ajudava a mãe a cortar a massa e a enrolar os pães. De madrugada, a segunda etapa: acordar por volta das três horas para retirar os pães da mesa e colocá-los na fôrma. O trabalho de assá-los vinha logo a seguir, um trabalho exclusivo da mãe no forno a lenha da casa, enquanto os filhos aproveitavam para um rápido cochilo antes da escola.

***

A pequena propriedade da família, de 12 hectares, ficava às margens do rio Paramirim. Nos tempos de estiagem, o afluente do São Francisco ainda seca por completo, e o leito levemente molhado se transforma num terreno ideal para o plantio de arroz e de verduras.

Nas beiradas, úmidas e arenosas no auge da seca, cavava-se até se formarem pequenas poças d'água. Cada uma delas, chamadas cacimbas, tinha uma utilidade: matar a sede da família, lavar roupa e dar de beber ao gado.

Pioneiros do MST

No povoado Cristais não havia energia elétrica nem escola para alunos saídos da quarta série. Colégio com curso ginasial, somente a duas horas de lá, justamente na cidade de Macaúbas. Olinda e os nove irmãos foram alunos do próprio pai, lavrador que levava a sério o papel de alfabetizador do povoado.

A vida em Macaúbas durou até 1965. Olinda, aos 10 anos de idade, e a numerosa família percorreram 330 quilômetros em estradas de terra e se mudaram para Santa Maria da Vitória, município no oeste baiano.

Em alguns anos, o tamanho da terra aumentou, o pai acumulou 300 cabeças de gado e a mãe engatou no sucesso do rebanho como produtora de doce de leite e de requeijão.

Nos momentos em que ficava longe da roça, na única escolinha próxima à nova propriedade da família, Olinda aumentava o orçamento como professora do primário. Ficou dez anos assim, até voltar a estudar, em 1975. Aos 25 anos, recomeçou pela quinta série e completou o segundo grau, num curso voltado para jovens e adultos.

Olinda e o restante da família tinham hábitos religiosos. A leitura da Bíblia e a missa aos domingos eram uma obrigação.

Foi dessa forma, aos 28 anos, que Olinda foi convidada por um grupo de padres italianos a se tornar catequista. Era o tempo em que jovens religiosos estrangeiros invadiam as paróquias do interior do país e recrutavam lavradores para ajudar na organização das comunidades.

Olinda passou a dar aulas de catecismo para as crianças, sempre aos domingos, e logo se viu envolvida nas Comunidades Eclesiais de Base e na organização de uma chapa de oposição na disputa pelo comando do Sindicato dos Trabalhadores Rurais de Santa Maria da Vitória.

Pioneiros do MST

A vitória da chapa veio em 1982, e Olinda tornou-se tesoureira do sindicato. Tinha de cuidar do caixa da entidade e das demandas dos lavradores de Santa Maria da Vitória e da vizinha São Félix do Coribe, em especial da luta dos pequenos proprietários contra a grilagem e a tentativa de expulsão de suas terras. A pistolagem imperava.

A mãe e os nove irmãos não gostaram dessa opção sindical. Viam naquilo pura perda de tempo.

– Você se esqueceu de casar, minha filha – repetia a mãe.

Já o pai, ao contrário dos demais, logo se apaixonou pelas novas atribuições de Olinda. Enxergava tudo aquilo apenas pelo lado religioso, como uma forma diferente de ajudar as famílias pobres da região. O entusiasmo dele foi além: emprestou à filha uma pequena casa na cidade e passou a colaborar com dinheiro e comida, como uma forma de bancá-la no sindicato.

O trabalho na entidade era voluntário, e apenas os custos de passagens eram subsidiados.

Olinda passava o dia no sindicato e nas comunidades. À noite, estudava. No início, teve de vencer o preconceito. Não era comum uma mulher na direção de uma entidade ligada a trabalhadores rurais. "Sentia o impacto [do preconceito] quando os homens eram apresentados à tesoureira [do sindicato]. Tinha piadinhas de mau gosto. 'E aí, tal? O que está fazendo aí?'"

***

O preconceito foi vencido com o passar do tempo e com o enfrentamento de situações delicadas, como a ocorrida no fim de 1983.

Pioneiros do MST

No meio da tarde de 28 de outubro, chegou à sede do Sindicato dos Trabalhadores Rurais de Santa Maria da Vitória a notícia do assassinato a tiros do líder comunitário e pequeno proprietário José Pereira de Souza.

Assustada, Olinda se levantou da cadeira e correu para avisar o padre da cidade.

Para muitos, a morte daquele lavrador não foi uma surpresa, e sim a trágica e anunciada conseqüência de uma intensa disputa por terra e água com um dos maiores grileiros do oeste baiano.

Natural da vizinha Canápolis, José Pereira de Souza chegou à região na década de 1950. Casou-se com Rosa, com quem teve 11 filhos, e ganhou o apelido de Zeca de Rosa.

Lavrador e carpinteiro, Zeca de Rosa tornou-se líder das comunidades Olhos d'Água, Mutum e Vieira, e logo se viu diante de um perigoso conflito: um grileiro havia cercado um pedaço de terra pública usado pelos moradores das três comunidades.

Era lá, naquele pedaço de terra, que estava a nascente da água usada para consumo humano e para matar a sede do gado e dos cavalos. Era lá também que os animais eram soltos para pastar. O pedaço de terra era usado de forma coletiva pelos agricultores.

Semanas antes do crime, Olinda havia acompanhado Zeca de Rosa à delegacia. Ele fora intimado a dar informações sobre o impasse com o grileiro. Na saída, depois de ouvir as palavras do lavrador, a delegada debochou da tesoureira do sindicato, que nunca mais esqueceu a ironia.

– Vocês já podem ir embora, porque hoje ele não vai ser preso. Leve o seu idolatrado daqui.

O clima esquentou quando os funcionários do grileiro cercaram aquele pedaço de terra pública. A nascente de água e o pasto ficaram longe do alcance das comunidades até 28 de outubro, quando, sob o comando de Zeca de Rosa, todos saíram de casa decididos a derrubar a cerca e a retomar o local.

Não houve tempo para a reação: assim que se aproximou da cerca, na dianteira dos demais trabalhadores rurais, Zeca de Rosa e um de seus filhos foram atingidos à bala por um pistoleiro a serviço do grileiro.

Zeca caiu morto e o filho ficou gravemente ferido.

A notícia correu rapidamente por Santa Maria da Vitória e logo chegou ao sindicato. Em poucos minutos, Olinda, o padre do município e um outro sindicalista seguiram de jipe para a casa de Zeca de Rosa, bem próxima à cena do crime.

Naquele momento a polícia já havia cercado o local, e o filho ferido estava sendo atendido no hospital da cidade.

Olinda e o padre entraram na pequena casa e foram recebidos por Rosa Pereira de Souza, mulher de Zeca. Sem que os policiais ou algum estranho pudessem ouvir, ela contou algo surpreendente: disse que outro filho dela, de 16 anos, ao ver o pai e um irmão mais velho serem atingidos a tiros, saíra em disparada pelo matagal, alcançara o pistoleiro e o matara com pauladas na cabeça.

O padre respirou fundo, absorveu a história e pensou numa solução rápida:

— A polícia já sabe disso, dona Rosa?

— Não, ninguém sabe — respondeu a viúva.

— E onde está o menino?

— Está aqui, nos fundos de casa.

— Então não fale mais nada a ninguém. Vamos deixar um crime pelo outro.

Pioneiros do MST

Com a ajuda de Olinda, o padre criou a versão de que, mesmo ferido, o filho atingido pelos tiros tinha conseguido correr atrás do pistoleiro e o matara com um pedaço de pau.

Dias depois, assim que deixou o hospital, ele encampou a história do padre e admitiu ter matado o pistoleiro em legítima defesa.

Já o adolescente, com a ajuda da paróquia e do sindicato, foi levado ao município vizinho de Correntina, onde cresceu com aquele trauma, mas livre de qualquer acusação.

***

O caso de Zeca de Rosa trouxe respeito à atuação de Olinda no sindicato. O preconceito inicial ficou no passado. Exemplo disso é que, um ano depois, num encontro entre os comandos dos sindicatos da região, ela foi escolhida para representar os lavradores do oeste da Bahia na primeira direção nacional do Movimento dos Trabalhadores Rurais Sem Terra.

Em Curitiba, no primeiro congresso nacional do MST, a linha geral dada aos seus líderes foi arregaçar as mangas e partir para as ocupações. Olinda, porém, percebia um contexto diferente no oeste da Bahia. Lá para os lados de Santa Maria da Vitória, enquanto muitos fazendeiros buscavam aumentar a qualquer custo a extensão das propriedades, a organização dos lavradores tinha de ser pela difícil e perigosa resistência na terra.

Mal iniciou esse trabalho, Olinda entrou na temida lista de ameaçados pelos pistoleiros da região. O clima esquentou quando ela ajudou um sitiante de Coribe a vencer a disputa por um pedaço de terra com um grande produtor.

Pioneiros do MST

Na saída da audiência final, o fazendeiro lhe apontou o dedo e disse em voz alta, para que todos ao redor pudessem ouvi-lo:

— Foi aquela magricela que fez isso.

Passaram-se algumas semanas, e, na saída da escola, à noite, Olinda começou a notar a estranha presença de um homem forte e de pele morena, sempre encostado numa caminhonete branca, seguindo-a com os olhos. As colegas de sala de aula brincavam com Olinda, como se ele estivesse ali para paquerá-la.

Apesar da desconfiança, Olinda não via na simples presença daquele homem na porta do colégio uma ameaça para ela.

Até que um dia, num fim de tarde, quando se preparava para ir à escola, Olinda viu um ex-aluno bater na sua porta. Estava sozinha e sabia que aquele menino comportado dos tempos de sala de aula tinha se transformado em um matador de aluguel da região.

Diretora nacional do MST e tesoureira do sindicato, Olinda ainda o considerava um amigo. Abriu a porta, deixou-o entrar e pediu que se sentasse. O pistoleiro a chamou pelo apelido:

— Dinha, preciso te falar uma coisa.

— Diga...

— Você sabia que está correndo risco de vida? Lembra daquele cara de Coribe, daquele fazendeiro? Ele está atrás de você.

Olinda abaixou a cabeça, e o pistoleiro prosseguiu.

— Você já viu um carro branco por perto?

— Sim, já vi, na porta da escola...

— Me chamaram para isso, mas eu não topei. Disse que não te matava por dinheiro nenhum. Então tome muito cuidado.

O ex-aluno de Olinda e agora pistoleiro, que anos depois viria a ser morto no Pará, levantou-se da cadeira e foi embora.

Olinda correu ao sindicato.

Contou tudo o que ouvira do amigo pistoleiro e foi orientada a não sair de casa por uns tempos. Mas preferiu seguir a rotina, e pelo menos duas vezes teve de se esconder na casa de uma irmã para não ser alcançada pela caminhonete branca.

As ameaças acabaram antes que alguém da família desconfiasse. A própria irmã que lhe dava guarida mal sabia que as visitas-surpresa eram, na verdade, uma fuga para se esconder de pistoleiros.

***

As tentativas de expulsão de pequenos proprietários prosseguiam na região, e o trabalho de Olinda estava cada vez mais voltado para resolver esses problemas. Ao mesmo tempo, por conta da realidade local, sua atuação estava cada vez mais distante das orientações do MST, de "ocupar como a única solução".

Com a experiência no sindicato e no MST, mas principalmente pelo preconceito enfrentado como tesoureira da entidade e diretora nacional do movimento, Olinda encontrou tempo para ajudar na criação de um movimento de trabalhadoras rurais no oeste da Bahia.

O Movimento Mulheres Unidas na Caminhada, o MMUC, ainda atuante e com sede em Santa Maria da Vitória, é fruto do preconceito em relação à organização e à militância das agricultoras e, em especial, da repressão vivida por elas dentro de suas próprias casas.

✳✳✳

Esse engajamento de Olinda terminou de uma só vez em 1990. Ela perdeu a mãe em junho e, 70 dias depois, o pai. Aos 40 anos, não tinha mais quem a sustentasse na militância.

Era o momento de se afastar do sindicato e do MST e sair à procura de um emprego. Em 1992, um ano após ter se casado com o agricultor João de Jesus Caldeira, arrumou as malas e seguiu com o marido para tentar a sorte em São Paulo, o mesmo caminho seguido por Santos, Osvaldo e Betão.

Olinda viveu em Campinas, no interior do estado, e em dois municípios da região metropolitana de São Paulo, Mairiporã e Franco da Rocha, onde nasceu o filho Guilherme. Trabalhou como doméstica, costureira e balconista de padaria, enquanto João se virava como segurança de bancos e de postos de combustíveis.

Em 1997, numa rápida visita à Bahia, encontrou uma ex-aluna e antiga companheira de sindicato. Na conversa, ficou sabendo que um grupo de famílias estava sendo organizado para algum novo assentamento na região de Santa Maria da Vitória.

– Se você conseguir, minha amiga, inclua o meu nome nessa lista – pediu Olinda, sem muita convicção.

Passaram-se quase dois anos, Olinda estava cada vez mais incomodada com a vida na zona urbana, até que um dia o telefone da casa em que trabalhava como doméstica tocou.

Na linha, aquela velha amiga baiana:

– Olinda, lembra que você me pediu para colocar o seu nome na lista da terra? Então, agora surgiu a oportunidade, no nosso assentamento, em Sítio do Mato.

As famílias estavam há dois anos na terra, e um dos 50 assentados havia desistido. Alguém precisava ser indicado para o lote, e o nome dela foi aprovado em assembléia. Os assentados queriam Olinda como a professora dos filhos deles.

Desempregado, João topou na hora. Já Olinda pediu uma semana para pensar. A cabeça dela estava em transe. Não podia demorar, pois outros sem-terra estavam na fila por aquela mesma vaga no assentamento, mas também não gostaria de largar às pressas a casinha que havia construído em Campinas.

A definição pela viagem veio depois da difícil conversa com os patrões. Eles nem imaginavam o passado de Olinda no MST.

– Você tem coragem de ir para uma área de reforma agrária? – perguntou a patroa, com medo de perder a boa empregada.

A seguir, foi a vez do patrão.

Pioneiros do MST

— Tem certeza de que quer trocar esse emprego por um pedaço de terra no interior da Bahia?

Olinda respondeu que sim. Disse que estava disposta a retomar a vida na roça para dar aula às crianças do assentamento, para cuidar do filho de 3 anos no próprio lote de terra e pela chance de, anos depois, conseguir a aposentadoria rural.

— Então, vá. Se não gostar e quiser voltar, vamos estar te esperando por aqui – disse a patroa, para alívio de Olinda.

***

Olinda retornou à Bahia em março de 1999, logo após o Carnaval. Deixou a mudança na casa de familiares em Santa Maria da Vitória e percorreu outros 140 quilômetros para visitar o lote de terra, em Sítio do Mato, no assentamento Reunidas José de Rosa, uma homenagem dos sem-terra a Zeca de Rosa.

A primeira impressão foi péssima. Com dois anos na terra, as famílias estavam todas ainda no meio do mato e debaixo de barracos de lona preta.

A área, uma antiga fazenda de 2.700 hectares devastada por um padre serralheiro, já estava devidamente desapropriada desde dezembro de 1997, restando apenas a liberação dos créditos de instalação.

Um fio de arrependimento passou perto de Olinda, mas ela tratou logo de se ajeitar por lá.

Enquanto construía seu barraco, passou alguns dias instalada na única casinha de alvenaria do assentamento, usada antes como alojamento pelos antigos funcionários da fazenda. Com a chegada de Olinda, esse abrigo se transformou numa escolinha.

Pioneiros do MST

Cada família tinha um lote de 25 hectares, além de outros 18 hectares numa área coletiva do assentamento, que poderia ser usada como pasto ou lavoura. Olinda só viu por ali pequenas plantações de milho e de mandioca.

No início, a vida por lá foi bem complicada para Olinda, João e o pequeno Guilherme, então com 5 anos. De dia, o barraco de lona esquentava como uma fornalha. À noite, o clima de deserto os fazia tremer de frio. Era comum acordarem de madrugada com rajadas que arrancavam a lona da base de madeira.

Como não havia energia elétrica, Olinda acendia um lampião a gás para que ela e João pudessem correr atrás da lona e ajeitá-la mais uma vez no alto do barraco.

Água não faltava. Chovia bastante, e todos faziam fila para encher baldes e bacias no chafariz do único poço artesiano do assentamento.

✳✳✳

A 26 quilômetros de Sítio do Mato, e mais 45 quilômetros de Bom Jesus da Lapa, onde está o melhor hospital da região, o assentamento José de Rosa sempre foi isolado de tudo.

Olinda sofreu com isso no início de 2000. Ainda debaixo de um barraco de lona, mas com a ajuda de um termômetro dos tempos de Campinas, notou a temperatura de Guilherme cada vez mais alta. Um, dois, três dias de febre, e a temperatura já tinha saltado para 40 graus. O menino ardia no colo da mãe.

No terceiro dia de febre alta, logo depois do almoço, surgiu a primeira chance de levar o filho ao hospital: um caminhão carregado de tijolos estacionou na empoeirada trilha do assentamento. Era o material para a construção das primeiras casas.

Ela colocou o filho na boléia e seguiu de carona rumo a Bom Jesus da Lapa. No meio do trajeto, o caminhoneiro anunciou um imprevisto. Disse que a carona parava por ali, pois precisava comprar melancia num assentamento no sentido contrário.

Olinda e o filho desceram do caminhão no meio do nada.

Sob um sol de rachar, estavam numa trilha de terra na qual raramente passava uma alma viva. Para se ter uma idéia da localização dos dois, estavam 30 quilômetros depois de Sítio do Mato e 4 quilômetros antes do cruzamento com a BR-349, rodovia que liga Santa Maria da Vitória a Bom Jesus da Lapa.

Eram quatro horas da tarde, e Olinda entrou em desespero. Faltavam duas horas para o sol cair de uma vez, e o filho febril estava acomodado em um lençol ajeitado pela mãe debaixo de uma moita, às margens daquela estradinha de terra.

A sorte mudou de lado uma hora depois. Um assentado numa moto percebeu o aceno de Olinda e parou para lhe prestar socorro.

Ele deu carona aos dois até a BR-349. No caminho, Olinda descuidou-se e queimou a perna direita no escapamento da moto. Ela não gritou. Teve forças para segurar o filho no colo e ainda pedir outra carona, dessa vez de carro, até Bom Jesus da Lapa.

No hospital, mãe e filho foram atendidos. Olinda tratou da queimadura e Guilherme se livrou da febre.

***

Ainda em 2000, com a marca da queimadura na perna, Olinda construiu a casa de alvenaria e, no ano seguinte, com créditos federais da agricultura familiar, comprou nove vacas leiteiras. Três anos depois ela viu a chegada da energia solar. A elétrica só foi instalada no assentamento em meados de 2005.

O Reunidas José de Rosa cresceu por conta do casamento de filhos e netos dos assentados. Agora são 58 famílias por lá, a maioria com criações de gado de corte.

Na estiagem o capim seca, e as famílias são obrigadas a se desfazer aos poucos de parte dos animais. Olinda conta hoje com 25 cabeças de

Pioneiros do MST

gado, mas tem um dinheirinho guardado para aumentar esse número nos tempos de chuva.

É diretora da escola municipal instalada no meio do assentamento, freqüentada também por alunos de duas áreas vizinhas. De manhã funciona o primário, e à tarde, desde 2006, o curso ginasial, da quinta à oitava série.

Pela manhã, quem cuida das crianças são três professoras do próprio assentamento. À tarde é a vez de um grupo de sete professores vindos de fora, sendo um deles da cidade de Sítio do Mato, e os demais de Gameleira da Lapa, distrito de Bom Jesus da Lapa.

No assentamento, ao lado da escola, há uma pequena casa, usada como alojamento pelos sete professores. As péssimas condições de acesso ao assentamento fazem com que eles fiquem por lá durante a semana e somente retornem para casa após as aulas de sexta-feira.

Como diretora, enquanto aguarda a liberação da aposentadoria rural, Olinda recebe um salário mínimo da prefeitura do município. Animada e bem-humorada, desfila pelo assentamento com uma camisa verde e rosa, com o nome da Escola Argemiro M. dos Anjos bordado na altura do peito.

Além de Olinda, apenas a papagaia Quequé visita a escola em dois períodos. É tradição no assentamento a ave passar de casa em casa logo cedo, gritando por comida. "Café-da-manhã, café-da-manhã", repete, assim que invade as cozinhas.

Alimentada, segue em vôo rasante para a escola, entra numa sala de aula sem fazer cerimônia, brinca um pouco com o pedaço de giz deixado no quadro-negro e se acomoda na mesa da professora. Alegria da criançada, Quequé assiste à aula em silêncio, até se cansar ou mudar de sala. À tarde ela passa de novo por lá.

***

Ao chegar ao assentamento, Olinda atuou um pouco na associação da comunidade, mas logo desistiu da burocracia. Hoje colabora apenas informalmente com os assentados. Dos tempos de militância, mantém apenas a presença anual nas festas de aniversário do MMUC, do qual é uma das fundadoras.

O lote de Olinda é protegido por uma cerca de arame farpado. Logo na entrada está a casa, com dois quartos, sala, cozinha e um banheiro. Um cachorro, um gato e uma dúzia de galinhas, algumas delas do tipo d'angola, circulam ao seu redor.

No quintal, um pequeno cercado para os porcos, umbuzeiros, pés de romã e de acerola, e plantações de milho e de mandioca. Mais próximo da casa há um buraco para queimar o lixo acumulado pela família e uma antena parabólica que transmite o sinal para o aparelho de TV comprado nos tempos de empregada doméstica em Campinas.

Assim como muitos e muitos moradores do rural brasileiro, Olinda não pode assistir ao noticiário local da televisão. Por conta da parabólica, a única opção de sinal para os assentados, ela recebe a programação de São Paulo e do Rio de Janeiro. Na TV, nada da Bahia e muito do trânsito paulistano da Marginal do Tietê, algo que já estava acostumada a assistir nos tempos de empregada doméstica.

No assentamento há apenas um telefone público, muitas vezes mudo por dias e dias. Em caso de emergência, há duas opções: fretar o carro de algum dos assentados ou correr ao assentamento vizinho e usar o telefone via rádio do seu Manoel.

Enquanto isso, o acesso ao assentamento permanece um tormento.

Para ir à cidade, distante 26 quilômetros, os assentados dependem de uma linha de ônibus em operação apenas às segundas-feiras. O veículo vai e volta no mesmo dia.

Há ainda o transporte dos assentados que cursam o ensino médio em Sítio do Mato. Pago pela prefeitura, o ônibus deixa o assentamento todos os dias às 11h30. Recolhe outros adolescentes no caminho e chega à cidade por volta das 13h15.

No retorno, aquele ônibus em precárias condições costuma estacionar no assentamento entre 19h30 e 20h. Não são poucas as vezes em que ele quebra ou fica parado no meio do caminho, e os alunos são obrigados a seguir a pé até o assentamento.

Nos tempos de seca, atola nos areões. Já nas chuvas, pára nos lamaçais.

**

Na casa de Olinda o banheiro é usado apenas em tempos de chuva. Quando a seca aperta, a ordem é economizar água e correr para o mato.

O banho também depende da época do ano. De novembro a março, mais ou menos, o uso do chuveiro está liberado. Já no restante do ano, com a dura estiagem, vale o uso da canequinha ou, no caso de Olinda, pedir licença na casa de familiares nas visitas a Bom Jesus da Lapa.

— Quando vou pra lá, deixo bem claro que vou ficar uma hora debaixo do chuveiro.

A seca tem se intensificado de ano para ano, no mesmo ritmo que tem crescido o número de famílias e de animais. Uma conseqüência direta disso é a diminuição do nível de água do poço artesiano do assentamento, o mesmo que dava conta do recado no fim da década de 1990 e agora está cada vez mais requisitado.

A pouca quantidade de água leva Olinda a fazer uma série de adaptações para o racionamento. Além de restrições no banho e no uso do banheiro, não pode lavar as roupas em casa.

Ela e outras amigas assentadas seguem juntas, de 15 em 15 dias, até as margens do rio São Francisco, onde passam o dia inteiro lavando as peças de roupa acumuladas em duas semanas.

No quintal de Olinda e dos demais assentados há uma cisterna, usada como reservatório para a água da chuva, com capacidade para 16 mil litros.

Nela há uma placa com o registro número 177.230, como parte do programa federal de instalação de cisternas.

No último período de chuvas, o reservatório só atingiu o nível de 10 mil litros, um pouco acima da metade da capacidade e insuficiente para manter a família de Olinda no restante do ano.

Parece inacreditável, mas o assentamento no qual lavradores não podem usar o próprio banheiro de casa por conta da falta d'água está, em linha reta, a exatos 15 quilômetros do rio São Francisco.

As mesmas autoridades que prometem a transposição de parte do leito para outros estados não conseguem inaugurar um canal d'água entre o rio e o assentamento.

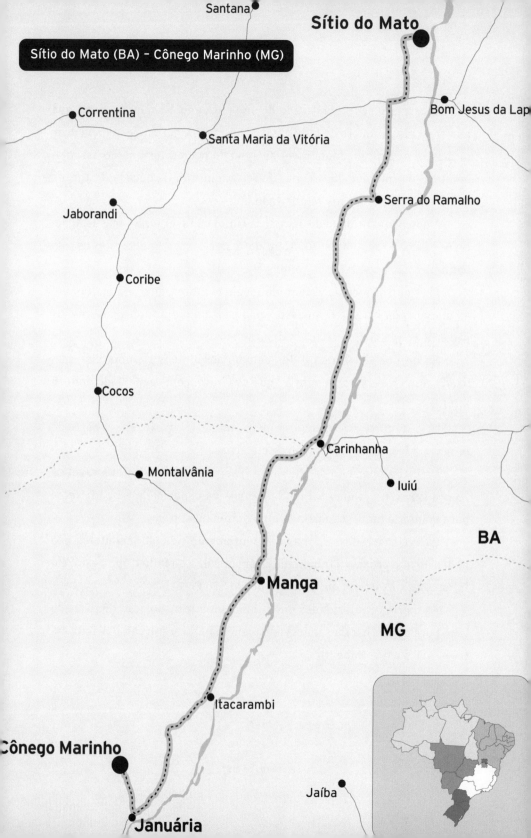

Tropeiros do sertão

“ Eu tinha toda uma vida de estudos pela frente, mas meu pai me mandou mexer com burros. ”

Antônio Inácio Corrêa

O trajeto entre Sítio do Mato, no centro-sul da Bahia, e Cônego Marinho, no norte de Minas Gerais, seguiu repleto de armadilhas.

Há de tudo um pouco ao longo dos 350 quilômetros: crateras no asfalto, longos trechos de estrada de terra, vaivém de bóias-frias, gados magricelos, açudes secos e moradores com baldes vazios em fila à espera de alguns litros d'água.

O trecho mais crítico são os 65 quilômetros entre a baiana Carinhanha e a mineira Manga. Ali, logo após a travessia de balsa pelo rio Carinhanha, a precária estrada da região dá lugar a uma trilha estreita e arenosa, onde os veículos pequenos deslizam ou param nos atoleiros secos.

Por lá não existe sinalização. Nas seguidas bifurcações e trifurcações vai-se pela intuição ou pelas marcas de pneus deixadas no areal. A região é pouquíssimo habitada e isso dificulta simples pedidos de informação ou mesmo de ajuda, em caso de quebra ou de atolamento. Nas chuvas, o trecho é intransitável.

O destino, o Sítio Olhos d'Água, comunidade com cerca de 200 famílias no município de Cônego Marinho, fica a 18 quilômetros de

Januária, a principal cidade do extremo norte mineiro, cortada pelo rio São Francisco.

Uma nova trilha de terra leva a Antônio Inácio Corrêa, pequeno proprietário de 68 anos de idade e dono de uma área de 22 hectares, onde planta cana, milho e mandioca e cuida de 18 cabeças de gado.

***

Antônio é natural da região. Nasceu em 1939 na pequena comunidade de Barreiro do Mato, um distrito de Bonito de Minas, que anos depois seria emancipado de Januária.

Com a morte de uma irmã ainda bebê, Antônio foi criado como filho único na propriedade de 50 hectares da família. Ali, logo cedo, aprendeu a lidar com milho, feijão, cana e mandioca.

O trabalho na roça era voltado para a agricultura de subsistência, pois o mercado da região comprava apenas a produção de algodão e de mamona de seu João Corrêa, pai de Antônio.

Na propriedade, a três horas de carro de Januária, não havia água encanada, muito menos energia elétrica. A escola mais próxima ficava a 5 quilômetros, o que obrigou Antônio, a partir dos 12 anos, a fazer essa caminhada de ida e volta todos os dias. Antes disso, passava a semana na casa de uma tia, em Bonito de Minas.

Seu João Corrêa não dava trégua ao filho. Era uma dura disciplina dentro de casa. Aos 9 anos, Antônio desmaiou de cansaço no meio da roça. Com a enxada na mão, pouco antes do meio-dia, despencou no meio do mandiocal e foi socorrido pelo pai e levado no colo para casa. Ganhou um dia de folga.

Pioneiros do MST

Além de controlar o horário de trabalho, seu João proibia que Antônio, um primo de mesma idade e um coleguinha da comunidade jogassem futebol.

Quando o trabalho na roça estava devagar, a ordem era regar as plantas até escurecer, tudo para que não sobrasse tempo para bater uma bolinha. Os três meninos, porém, sempre davam um jeitinho. No caminho para o riacho, eles se enfiavam num campo aberto no meio do mato e colocavam pra rolar a bola de borracha escondida estrategicamente entre as árvores.

Seu João detestava ver o filho perder tempo com futebol, e mais ainda quando ele se unia à molecada para matar passarinhos.

Antônio tinha o hábito de armar arapucas para pegar as pombas engordadas com a mistura de palha e de farelo de milho preparada para os animais. Numa espécie de piquenique organizado pelos meninos no meio do mato, as aves capturadas se misturavam à farofa, obviamente bem longe dos olhos de seu João Corrêa.

***

Apesar dessas divergências pontuais, Antônio e o pai tinham afinidades, em especial no hábito da leitura. Nada que mais tarde pudesse ser lido era jogado no lixo. Na propriedade dos Corrêa, os jornais velhos usados no embrulho de ferragens e de tecidos no armazém do distrito eram abertos com todo o cuidado.

Seu João, um dos poucos que sabiam ler na região, tornou-se próximo a um político do distrito. Essa amizade lhe dava o privilégio de pegar emprestados exemplares atualizados das revistas *Manchete* e *O Cruzeiro*.

— A pessoa que sabia escrever uma carta era chamada de doutor na região. Poucos sabiam escrever o próprio nome – lembra Antônio.

As revistas sempre chegavam com uma semana de atraso a Bonito de Minas. Assinante, o político entregava as edições ao amigo João Corrêa uma ou duas semanas depois.

Ansioso pelas notícias, Antônio tinha de esperar pacientemente o pai concluir a lenta leitura. Só avançava quando o exemplar era abandonado em cima de algum móvel da casa.

Certa vez, o hábito de ler aquelas revistas o ajudou a desmascarar um sujeito visto na região como uma espécie de vidente misturado com curador. Respeitado, ele vinha de longe, atraía a atenção da comunidade e arrancava dinheiro dos ignorantes moradores, que acreditavam em tudo o que lhes era dito.

Adolescente, Antônio quis acompanhar uma dessas visitas do vidente, dessa vez na casa de um tio, também em Barreiro do Mato.

Toda a comunidade estava lá, sentada e em silêncio, quando o vidente-curador apareceu. O sujeito disse algumas rápidas palavras de saudação e retirou do bolso da calça algo que ninguém de lá jamais tinha visto: uma nota de dez cruzeiros, recém-distribuída pelo governo federal.

O vidente-curador passou então a abusar da ignorância de lavradores que mal conseguiam desenhar o próprio nome numa folha de papel. Em tom dramático, disse que a assinatura em tinta preta naquela cédula tinha sido feita pelo demônio.

Religiosos fanáticos e ignorantes ao extremo, os moradores se encolheram. Espantados, muitos se recusaram a tocar naquele pedaço de papel amaldiçoado.

Pioneiros do MST

– É coisa do satanás, e só eu tenho esta nota – repetia o sujeito, na tentativa de se engrandecer diante dos lavradores para, mais tarde, extorqui-los, como de costume.

A cédula passou por alguns mais corajosos e, por último, caiu nas mãos do menino Antônio. Sem cerimônia, saiu gritando para o tio, do outro lado da sala:

– Tio, tio! Esta aqui não é a assinatura do satanás. É a assinatura do Horácio Lafer, ministro da Fazenda.

Duas semanas antes o menino havia lido na revista uma reportagem justamente sobre o lançamento da nova nota de dez reais.

Sem graça, o tio o pegou pela orelha e o retirou da sala. Constrangido, o vidente-curador tomou a nota de volta e tentou desfazer o malentendido.

***

Aos 17 anos, cheio de vontade de estudar, Antônio conseguiu uma vaga na escola técnica de Januária. No colégio, a 45 quilômetros da casa dos pais, concluiu o ensino fundamental e, sob o regime de internato, aprendeu a trabalhar como alfaiate e barbeiro. A mãe, dona Ambrosina, costureira da comunidade, ajudou com algumas dicas ao único filho.

Antônio concluiu os estudos dois anos depois e logo passou a trabalhar numa barbearia de Januária. Passou seis meses com o pente e a tesoura até receber a notícia de que a escola técnica estava lhe oferecendo uma bolsa na matriz da instituição, no município de Esmeraldas, próximo à capital, Belo Horizonte.

Pioneiros do MST

Antônio quis fazer as malas, mas foi impedido pelo pai. Seu João o fez mudar de planos. Mandou o filho único, então com 19 anos, para trabalhar na propriedade de um amigo, em Formoso.

– Eu tinha toda uma vida de estudos pela frente, mas meu pai me mandou mexer com burros – lamenta Antônio.

***

Na fazenda, às margens do rio Carinhanha, um poste de madeira sinalizava a tríplice divisa entre Minas Gerais, Goiás e Bahia. Por lá, Antônio trabalhou como vaqueiro, condutor de animais de carga e balconista do armazém da fazenda.

No ano seguinte, casou-se com a filha do patrão, Alzira Dias Macedo. O sogro, Plácido, era um velho conhecido de João Corrêa.

A principal função de Antônio era a de tropeiro, na condução dos burros de carga pelos 280 quilômetros entre Formoso e Januária. Eram cerca de 12 dias de viagem, sendo quatro dias de ida, pelo menos quatro em Januária e outros quatro na volta à fazenda.

Na ida, os cerca de 20 burros da tropa seguiam carregados de mercadorias a serem vendidas em Januária. Carregava-se de tudo um pouco: couro de boi, cordas e esteiras feitas de forma artesanal com fios do buriti, penas de ema, resina e o látex da mangaba, retirado de mangabeiras e usado na fabricação de borracha.

Em Januária, depois de vender os produtos, os lombos dos burros eram mais uma vez abastecidos, dessa vez com produtos a serem negociados nas semanas seguintes no armazém da fazenda. Levavam-se sal, café e remédios, e os medicamentos, sempre com o risco de quebra durante o trajeto, eram amarrados, por precaução, ao burro mais manso da tropa.

Antônio, o sogro Plácido e mais três ou quatro peões formavam a equipe de viagens. Cada um seguia em um cavalo, conduzindo uma caravana de 20 a 25 burros de carga.

Por dia, viajava-se cerca de 60 quilômetros, sempre entre oito da manhã e cinco da tarde, com paradas apenas à beira de riachos para matar a sede dos animais.

A trilha era restrita às tropas e aos carros de boi. Havia dias em que a lenta cavalgada terminava sem ter cruzado com nenhum morador. Passava-se por aguadas, terra batida, brejos, atoleiros e por longos trechos de carrasco, que é uma vegetação baixa, típica da região e difícil de ser transposta.

Uma vantagem é que, por todo o trajeto, os pontos para a montagem dos acampamentos estavam demarcados pelas caravanas anteriores.

Pioneiros do MST

Entre os tropeiros, havia sempre um responsável pela cozinha. Por volta das quatro da tarde, ele saía em disparada, a cavalo, à frente dos demais, atingia com uma hora de antecedência o ponto de descanso e começava a preparar o jantar.

Todos chegavam exaustos ao fim do dia. Mas, ao atingirem o ponto demarcado, tinham ainda de descarregar as mercadorias dos lombos dos animais, organizar a carga, montar as barracas e recolher lenha do cerrado.

No jantar, o cardápio era sempre o mesmo: arroz, feijão e carne-seca. Aos burros, milho e rapadura.

Ao amanhecer, antes de sair, o tropeiro cozinheiro cuidava do almoço, enquanto os demais tratavam de recolocar a carga nos burros e mais uma vez alimentá-los. Outra tarefa era usar uma raspadeira, espécie de escova, para limpar o suor dos animais.

Por fim, todos almoçavam. Muito arroz, feijão e carne-seca antes das oito da manhã. Sabiam que a próxima e única parada viria somente nove horas depois, às cinco da tarde.

Na tropa, um burro era exclusivo para transportar os alimentos dos animais. Outro levava os alimentos dos peões. A água para beber seguia pendurada numa vasilha revestida de couro.

Antônio tratava os animais como filhos.

Os burros mais velhos eram chamados de "padrinhos" pelos tropeiros. Mas cada um dos animais tinha um nome próprio: havia o Suzano; o Mineiro, um burro jovem e forte; o Macaúbas, velho e manso; a Catita, jovem e bonita; a Trigueira, esperta; e o Baiano, grande e muito bom de sela, capaz de substituir um cavalo e levar com elegância os tropeiros.

Por dois anos, Antônio fez pelo menos 20 dessas viagens.

Pioneiros do MST

Numa delas, num ponto de descanso próximo à área que mais tarde seria decretada Parque Nacional Grande Sertão Veredas, os burros invadiram um sítio vizinho e destruíram uma roça de milho e de mandioca.

Antônio, o sogro e os peões só tiveram tempo de recolher os animais e sair correndo de lá, assim que ouviram os primeiros tiros disparados da carabina do nervoso proprietário.

Noutra viagem Antônio perdeu um amigo.

Estavam na metade do percurso de volta, entre Januária e Formoso, quando a tropa parou próxima a um poço cheio d'água para matar a sede dos animais.

Mineiro foi um dos últimos animais a se aproximar do poço. Quando curvou o pescoço e deu os primeiros goles, o peso da carga presa ao lombo foi jogado para a frente. Num instante, Mineiro e quilos de sal e de café afundaram juntos naquela cavidade escura e com cerca de 6 metros de profundidade.

Antônio correu até o poço, cortou as amarras da carga e ajudou a puxar o burro. Em vão. Mineiro havia morrido afogado.

– Aquilo me doeu muito. Eu tinha amizade com aquele animal – lembra Antônio.

***

Em 1961, aos 21 anos, Antônio deixou a fazenda do sogro e seguiu para Ponte Firme, comunidade do município de Presidente Olegário. Por lá, 700 quilômetros a sudoeste de Bonito de Minas e 600 quilômetros ao sul de Formoso, conseguiu dois empregos.

Durante a semana, no Departamento de Estradas de Rodagem de Minas Gerais, trabalhava na manutenção das rodovias da região, todas de terra naquele tempo. Os trabalhadores erguiam acampamentos e passavam alguns dias dando um trato nas trilhas.

Nos fins de semana ele pegava mais leve. Trocava a pá, a enxada e a picareta das estradas pelo pente, pela tesoura e pela navalha de uma barbearia.

Essa rotina durou dois anos. Em 1963, o sogro foi buscá-lo em Ponte Firme. Disse que Antônio fazia muita falta na fazenda e que gostaria de vê-lo de volta. Convite aceito, foram mais três anos cuidando de gado, tropas, roça e armazém.

***

Três anos depois, as notícias do pai doente o levaram de volta para Bonito de Minas. Na terra natal, passou a dividir o tempo entre a roça da família e a profissão de alfaiate. Antônio produzia arreios e capas de chuva e viajava por todo o norte do estado para vender os produtos, principalmente em dias de festejo.

Teve de interromper duas vezes esses serviços. Em 1969 e em 1973, passou seis meses em São Paulo para tratar de fortes verminoses causadas pelo consumo da água de um riacho de Bonito de Minas. Os médicos de Januária não deram conta de curá-lo e o mandaram à capital paulista.

Para se manter na metrópole, ele vivia em repúblicas no centro da cidade e trabalhava como servente de pedreiro. Na segunda ida a São Paulo, aos 34 anos de idade, Antônio aproveitou também para tratar de

Pioneiros do MST

um problema de audição no ouvido direito. Além das dificuldades de escutar, ouvia fortes e incômodos zumbidos.

***

Antônio perdeu o pai em 1977. Prosseguiu na jornada dupla, entre a roça e a alfaiataria do tio, até fevereiro de 1981, quando foi informado que deveria comparecer ao Sindicato dos Trabalhadores Rurais de Januária para esclarecer uma queixa contra ele.

Ele pisaria pela primeira vez no sindicato. Lá, desfez o mal-entendido de que estaria invadindo a propriedade de um vizinho e caiu de imediato nas graças do presidente do sindicato.

Depois de ter deixado uma boa impressão e de ter demonstrado uma rara capacidade de articulação diante dos demais lavradores da

Pioneiros do MST

região, Antônio passou a ser convidado pelo sindicato para negociar pequenos conflitos por terra nos distritos de Januária.

Para quem nunca tinha pisado no sindicato, tudo aconteceu muito rápido. No mesmo ano, negociou pequenos impasses fundiários, passou uma semana em Montes Claros, num curso de especialização sindical da Federação dos Trabalhadores na Agricultura do estado, e integrou a chapa reeleita.

Quando se deu conta, estava envolvido pelo trabalho. Atuava formalmente como secretário, mas também se arriscava nas demais tarefas. Com prestígio, tornou-se colunista de um jornal local, a *Folha de Januária*, e quase sempre usava o espaço para divulgar a enxurrada de denúncias recebidas no sindicato.

Qualquer reclamação de lavrador logo virava tema da coluna. Era uma paulada atrás da outra nos fazendeiros. Na época, na região, havia o fortalecimento da pistolagem e a impunidade em torno dela, enquanto as ameaças também avançavam.

Em dezembro de 1984, um crime chocou a região. Líder dos posseiros e presidente do sindicato dos trabalhadores rurais da vizinha São Francisco, Eloy Ferreira da Silva foi assassinado dentro de sua pequena propriedade. Aos 54 anos, deixava a mulher e dez filhos por conta da luta contra os grileiros.

Alguns dias depois do crime, ainda em 1984, um fazendeiro entrou sem ser convidado na sede do sindicato de Januária. Antônio cuidou da recepção:

— Posso ajudá-lo, senhor?

— Soube o que aconteceu em São Francisco?

— Sim, ficamos sabendo — respondeu Antônio.

Pioneiros do MST

– Pois bem. O valentão de São Francisco já foi. Agora estão faltando vocês – disse, ao dar as costas e deixar o sindicato.

A ameaça veio justamente no momento em que Antônio acabara de ser escolhido como o representante da região no primeiro congresso nacional do MST, que aconteceria no mês seguinte, em Curitiba.

Há três anos no sindicato, acumulava uma série de viagens por todo o estado e militava na Comissão Pastoral da Terra e na Central Única dos Trabalhadores.

Como experiência, tinha passado uma semana no acampamento da fazenda Santa Idalina, em Glória de Dourados, Mato Grosso do Sul, onde conheceu a jovem Santina Grasseli.

A indicação para integrar a direção nacional do MST foi uma conseqüência desse trabalho.

Após o congresso, no retorno ao norte de Minas Gerais, além da atuação no sindicato, tinha a responsabilidade de formar núcleos de sem-terra nas comunidades. Como toda essa organização estava direcionada a futuras ocupações de terra, Antônio ganhou em Januária a fama de "comunista" e de "tomador de terras".

Numa edição de outubro de 1985 da *Folha de Januária*, Antônio tentou explicar aos lavradores a real situação local.

"A partir da década de 1970, começaram a aparecer as firmas de reflorestamento de eucalipto e foram expulsando os posseiros e pequenos proprietários, destruindo a flora e a fauna naturais, muito rica de abelhas silvestres, veados, emas, seriemas, destruindo também os pequizeiros, araçás e todas as demais árvores frutíferas naturais. Também foram aterradas as nascentes e poluídas as águas dos córregos e rios, tomando as bebidas, as estradas e as pastagens naturais. Em seguida, os

Pioneiros do MST

que foram expulsos tornaram-se trabalhadores escravizados, bóias-frias e explorados, indo morar nas vilas e favelas, formando hoje um grande contingente de desempregados sem terra. Tudo isso começou com a grilagem, que até hoje continua, das empresas reflorestadoras [celulose] e agropecuárias e, às vezes, dos latifúndios que nada produzem", escreveu o colunista e então diretor do MST.

Naquele tempo, Antônio viajava bastante pelo estado, além de seguidamente deslocar-se para São Paulo e para Brasília. Mesmo em Januária, às vezes ficava duas semanas sem colocar os pés em casa.

Era tanto trabalho com o sindicato e com o MST que ele achava que não valia a pena perder duas horas de ônibus todos os dias apenas para percorrer os 48 quilômetros entre o centro da cidade e a propriedade da família, em Bonito de Minas.

Por isso, a comodidade era mesmo dormir no sindicato e voltar à área apenas nos fins de semana, para dar uma olhada na mulher, nos cinco filhos e nas sete filhas. No mês, eram 20 dias na cidade e 10 em casa, enquanto a roça estava cada vez mais abandonada.

Pioneiros do MST

Do sindicato, como ajuda de custo, Antônio recebia um salário mínimo e meio, dinheiro suficiente para fazer a feira do mês. Enquanto isso, na propriedade, a agricultura de subsistência estava condenada, com os filhos pequenos na escola e os mais velhos desinteressados por aqueles 50 hectares de terra.

Antônio fingia não ouvir os apelos da mulher para que largasse aquela vida de militância. Até o PT tinha entrado na história, depois de ele ter ajudado a criar o diretório do partido em Januária (em 1988, saiu derrotado nas eleições para vereador do município).

– Estava empolgado, engajado. Pra me arrancar de lá era difícil. Estava mais preocupado com os problemas dos outros do que com os meus e os da minha família – afirma Antônio.

A vontade era abraçar o mundo de uma só vez. Pastoral da Terra, CUT, MST, PT e até uma ONG em defesa dos direitos humanos que fundou no município.

Uma conseqüência disso foi o afastamento da direção nacional do MST. Foi substituído justamente por não estar dando conta do recado. Transferiu-se para a coordenação estadual, onde poderia atuar com mais tranqüilidade e com menos exigências executivas.

Assim, deixou a vaga nacional antes de ter conseguido organizar uma ocupação, apesar de não a ter perseguido.

Em 1992, distante da militância do MST e da Igreja, Antônio tentou se aproximar da família sem abandonar o sindicato. Vendeu os 50 hectares deixados pelo pai em Bonito de Minas e usou o dinheiro para comprar o pedaço de terra de 22 hectares no qual vive até hoje, no Sítio Olhos d'Água, no município de Cônego Marinho, naquela época um distrito de Januária.

Pioneiros do MST

A distância de 48 quilômetros entre o sindicato e a família diminuiu em quase dois terços. Passou a 18 quilômetros. Além disso, Antônio se livrou de uma terra sem água tratada e energia elétrica, e com péssimas condições de acesso. No novo sítio, a menos de uma hora de Januária, tinha como dormir em casa todos os dias.

***

Antônio ficou exatos 15 anos no sindicato. Deixou a atividade de lado em 1996 para, pela segunda vez, disputar uma vaga de vereador em Januária. Perdeu de novo, como oito anos antes.

Passada a disputa, conseguiu um emprego na prefeitura de Januária. Atuou na emissão de carteiras de trabalho, e logo foi transferido para a Secretaria de Desenvolvimento Econômico e Meio Ambiente. Lá, lidava com as associações comunitárias e ainda sobrava bastante tempo para treinar datilografia e visitar a biblioteca da prefeitura, no mesmo prédio, justamente ao lado da secretaria.

– Na prefeitura ninguém trabalhava. Só passava o tempo – conta.

Apaixonado pela leitura, Antônio deixou a prefeitura em 2000, e as visitas à biblioteca municipal se tornaram cada vez mais freqüentes. Começou a ler Jorge Amado, José Lins do Rego, Aluísio Azevedo e Érico Veríssimo.

Até hoje, num caderninho em espiral, mantém o hábito de anotar um a um os livros que lê. Na lista, são 174 títulos.

Os pastores da noite, de Jorge Amado, abre a relação, que segue, entre outros, com *O guarani*, de José de Alencar, *No tempo de Lampião*, de Leonardo Mota, *Juscelino & Jango/PSD & PTB*, de Abelardo Jurema, *Maíra*, de Darcy Ribeiro, e *O grande mentecapto*, de Fernando Sabino.

Pioneiros do MST

O ex-diretor nacional do MST vive hoje com dois de seus 12 filhos. A mulher, Alzira, morreu de câncer no início de 2007, e os demais filhos estão espalhados por São Paulo, Minas Gerais e Distrito Federal.

Antônio desistiu de escrever para o jornal local. Passa o tempo entre a roça, a leitura e algumas atividades na ONG de defesa dos direitos humanos. No armário da casa, na comunidade Sítio Olhos d'Água, está o livro que em breve ganhará o número 175 no surrado caderninho em espiral: *A solidão segundo Solano López*, de Carlos de Oliveira Gomes.

Pioneiros do MST

Mão lisa

" A gente pegava passarinho pra comer. Colocava milho dentro de uma arapuca de ripa de madeira. Pegava inhambu, jacu. Dava uma bela passarinhada com polenta. "

Neuri Luiz Mantovani

ntre a comunidade Sítio Olhos d'Água, na mineira Cônego Marinho, e Brasília, no Distrito Federal, foram 900 quilômetros. No início do trajeto, no norte de Minas Gerais, o cenário foi, mais uma vez, a monocultura do eucalipto.

Na capital federal, no quarto andar do Palácio do Planalto, está Neuri Luiz Mantovani. Aos 46 anos, atua como assessor especial da Subchefia de Assuntos Parlamentares da Presidência da República. Lá, acompanha diariamente o andamento de projetos de interesse do governo federal no Congresso.

**

Neuri nasceu em 1961, em Soledade, no interior do Rio Grande do Sul, numa pequena propriedade da família. Mas logo no ano seguinte se mudou com os pais e os sete irmãos para o oeste paranaense, o mesmo caminho percorrido na época por inúmeras famílias gaúchas atraídas pelas notícias de terras férteis.

O oeste do Paraná era, naquela época, um ponto de monitoramento especial das forças nacionais de segurança.

Pioneiros do MST

Isso porque, quatro anos antes, em 1957, milhares de colonos pegaram em armas e, em dias diferentes, tomaram o controle dos municípios de Pato Branco, Capanema, Francisco Beltrão e Santo Antônio do Sudoeste.

O levante foi uma reação às companhias de especulação imobiliária que os ameaçavam de expropriação, sempre com a conivência do governo paranaense e a omissão do governo federal. Os colonos denunciavam ser vítimas de espancamentos, assassinatos, estupros, assaltos, saques e extorsões.

Durante a revolta, os colonos – a maioria deles migrantes gaúchos e catarinenses – fecharam estradas, expulsaram delegados e juízes e tomaram os aeroportos. Os escritórios das companhias foram invadidos, seus jagunços expulsos das cidades e toda a papelada que contestava a posse dos colonos foi rasgada e jogada nas ruas.

Até uma CPI foi criada no Congresso para apurar as causas e os efeitos daquela rebelião armada.

Mas quando a família Mantovani chegou por lá, a situação já estava controlada. Neuri e família se instalaram numa área isolada do distrito Cristo Rei, no município de Capanema, na divisa com a Argentina e próximo às margens do rio Iguaçu.

A propriedade de 28 hectares estava a 5 quilômetros do distrito e a 15 quilômetros da cidade de Capanema.

Na época, em tortuosas trilhas de terra, levava-se três horas para percorrer esses 20 quilômetros numa carroça de boi, único meio de transporte disponível na região.

Ida, mãe de Neuri, sofreu com esse isolamento logo nos primeiros meses de Paraná.

Pioneiros do MST

Num fim de tarde, como de hábito, ela separou um pouco de madeira para cortar em pedaços e depois usar no fogão a lenha da casa. Um golpe mal dado, porém, levou o machado direto ao pé que não deixava a madeira escorregar.

A machadada não foi certeira, mas o suficiente para atingir os nervos e fazer jorrar sangue por toda a casa.

Como não havia meios de levá-la ao hospital de Capanema, o jeito foi limpar o corte com água e manter o pé amarrado com pedaços de pano, para evitar uma hemorragia.

***

Os Mantovani, assim como os demais moradores da comunidade, não tinham o título definitivo da terra, apenas um documento provisório.

Na época, a medição da área era feita com base no barulho de um tiro de espingarda disparado no meio do mato. A posse ia até onde se podia escutar o tiro. A etapa seguinte era marcar os limites da propriedade com pedras ajeitadas ao longo de uma picada aberta no matagal. Somente em 1971 foram feitas as primeiras medições oficiais. Uns ganharam e outros perderam um pouco.

O local, rico em madeira, era de mata fechada. Com a ajuda dos filhos, seu Doílio, chefe da família, então com 34 anos, construiu uma casa, um galpão e uma tulha para estocar os alimentos. Por lá havia muita madeira nobre, como peroba, angico e cabriúva.

Doílio entregava as toras a uma serraria da região e recebia em troca as tábuas já prontas. Na propriedade, as árvores eram derrubadas com serrote, com o pai de um lado e um dos filhos do outro. Esse vaivém para serrar uma delas às vezes demorava a manhã inteira. Dos 28 hectares da família, oito foram preservados como reserva de Mata Atlântica.

Na década de 1960, antes da chegada do ciclo da soja, que varreu boa parte da vegetação nativa, os arredores da comunidade eram repletos de animais silvestres.

Numa madrugada, ao perceber a aproximação de uma onça, uma égua da família arrebentou a corda na qual estava amarrada e cavalgou 3 quilômetros até encontrar abrigo em outra propriedade.

Pela manhã, o vizinho devolveu o animal.

***

Pacas e cotias estavam entre os pratos preferidos daqueles gaúchos, pequenos proprietários do Cristo Rei.

Doílio preparou um descampado ao lado do riacho justamente para caçá-las. Jogava-se um pouco de milho para os animais, que se aproximavam em questão de minutos. A espingarda cuidava do resto.

Doílio só matava para a refeição seguinte. Já o vizinho de terra preferia fazer um estoque de pacas no quintal da propriedade. Com a ajuda de uma armadilha, ele pegava os bichos e mantinha pelo menos oito deles vivos numa espécie de chiqueiro de madeira.

Esse tipo de caça ficava por conta dos adultos do Cristo Rei. Neuri, ainda pequeno, apenas observava. Ele e os irmãos tinham outra tarefa: "A gente pegava passarinho pra comer. Colocava milho dentro de uma arapuca de ripa de madeira. Pegava inhambu, jacu. Dava uma bela passarinhada com polenta."

Pioneiros do MST

Na propriedade, a agricultura era voltada para a subsistência da família. Plantavam-se arroz, feijão, milho e soja, e mantinham-se criações de gado, suínos e galinhas. As raras sobras da produção eram vendidas.

Neuri pegou cedo na enxada. Com 6 anos ajudava o pai e os irmãos na roça e na criação dos animais. Dava água e comida ao gado e aos porcos, sempre três vezes ao dia: logo pela manhã, depois do almoço e no fim da tarde. À noite, jantava e estudava com a ajuda de velas. A energia elétrica só chegaria lá em 1977.

***

Em especial nos primeiros anos, quando não havia maquinário para auxiliar na plantação e na derrubada da mata, a rotina da família Mantovani era o dia inteiro na roça.

O pai e os oito filhos seguiam mata adentro enquanto a mãe e o nono filho, o único paranaense, ficavam em casa. Todos sempre se encontravam no meio da tarde, quando Ida levava café com leite e pão com salame para os adultos na roça.

Numa dessas tardes, Ida tirou o caçula do colo e, como de costume, deixou-o brincando sobre uma grande pedra fixada no meio da lavoura. Ela distribuiu o lanche a cada um deles e, ao se voltar para o caçula, percebeu uma urutu bem ao lado da pedra.

A cobra, venenosíssima, estava a menos de um metro da criança, que continuava a brincar como se nada estivesse acontecendo. Neuri, então com 6 anos de idade, acompanhou o desespero do pai e da mãe, que nada podiam fazer.

Pioneiros do MST

A presença de cobras e de outros animais era absolutamente comum na propriedade, tanto que Doílio andava para cima e para baixo com uma espingarda calibre 32. Naquele momento a arma estava ali, mas não poderia ser usada. Havia o risco de parte da munição de chumbo atingir a criança.

A missão de retirar o caçula da pedra coube ao filho mais velho, Nelson, então com 16 anos.

– Chegue com calma, devagar. Quando você puxar [a criança], eu vou meter fogo – disse Doílio ao filho mais velho.

Assustado, Neuri acompanhou tudo ao lado da mãe.

Nelson retirou a criança e segundos depois o pai estraçalhou a urutu. Todos correram para a pedra e perceberam que, ao sinal de perigo, a cobra havia colocado seis filhotes na boca para protegê-los.

As cobrinhas tentaram sair rastejando pelo mato, mas foram todas mortas a pauladas pelos meninos.

***

Passados três anos do susto com o caçula, Neuri viveu uma situação parecida na propriedade da família.

Como fazia todos os dias, terminou o almoço e correu para dar água aos porcos. Fazia isso com pressa, pois ainda tinha de caminhar 2 quilômetros até a escola da comunidade.

Naquele dia, por uma estreita trilha de terra, cercada de bananeiras dos dois lados, Neuri desceu uns 50 metros da casa até o riacho e encheu dois baldes d'água.

No caminho de volta, na metade da subida em direção ao chiqueiro, Neuri quase pisou em outra urutu. Colocou o pé descalço a centímetros dela e, ao avistá-la, largou os baldes e voltou correndo para o riacho.

O bicho era tão grande que Neuri só conseguiu enxergar parte daquele corpo escamoso cruzando a trilha de um lado a outro. Não viu a cabeça nem o fim da cauda.

No riacho, com água até a altura do joelho, ele pensava estar seguro, o que não era verdade. De lá, conseguiu gritar por socorro, após se acalmar um pouco e recuperar a voz.

O pai desceu correndo pela trilha com a mesma espingarda 32. Ouviu o relato do filho e saiu em busca da urutu. Com a ajuda de um galho, remexeu na bananeira e sentou chumbo na cobra quando ela já se ajeitava para dar o bote.

Curioso, Doílio fez questão de medi-la: 1,37 metro.

***

No Paraná, assim como o pai de Chicão fizera na mudança para Santa Catarina, o pai de Neuri conseguiu manter a assinatura de um jornal dos tempos de Rio Grande do Sul.

Sempre com seis ou sete dias de atraso, como os Dal Chiavon em Nova Itaberaba, Doílio recebia em Capanema a edição do *Correio Riograndense*, editado semanalmente em Caxias do Sul.

Os exemplares chegavam sempre às sextas-feiras na paróquia de Capanema, e dois dias depois eram levados aos assinantes. Aos domingos, os ministros da Eucaristia organizavam os cultos nas igrejas das comunidades e entregavam os jornais aos leitores gaúchos.

Menino, vivendo numa comunidade cercada pelo mato e localizada bem embaixo da rota aérea Curitiba-Foz do Iguaçu, Neuri sempre buscava no jornal notícias sobre inovações tecnológicas, em especial a respeito do mercado da aviação.

O pai, brizolista entusiasta e católico fervoroso, ficava atento aos textos sobre política e religião. Além disso, ao fim de cada tarde, sintonizava no rádio *A Voz do Brasil*.

Neuri ficava sempre ao lado do pai. Aumentava o volume e, a pedido de um professor, levava para a escola as anotações sobre o noticiário mais importante do dia.

Pai e filho riam quando a cadela da família, chamada Brasília, saía correndo toda vez que o locutor anunciava a participação do repórter diretamente da capital federal.

***

Os Mantovani levavam a sério os cultos dominicais e percorriam os 5 quilômetros entre a propriedade e a igreja do Cristo Rei. Até o início da década de 1970, o trajeto era feito a pé ou em carroças puxadas por bois. Depois das primeiras colheitas de soja, a família comprou uma picape.

As visitas do padre belga eram raras. Havia uma missa dominical a cada dois meses, mais ou menos. As aparições do religioso durante a semana eram ainda mais difíceis. Quando isso acontecia era motivo para festa na comunidade. Tinha churrasco, futebol com o padre, e todo o comércio fechava as portas.

Numa dessas visitas, no início de 1973, o padre passou algumas horas na escola falando às crianças sobre a importância da escolha de uma profissão. Defendeu abertamente a vida religiosa e, no fim, pediu que cada um dos alunos escrevesse num pedaço de papel a carreira que gostaria de seguir.

Pioneiros do MST

Neuri, então com 12 anos, estava em dúvida entre um futuro como padre ou como jornalista. Cravou a primeira opção.

Meses depois, enquanto cursava a quarta série do primário, Neuri foi procurado pelo ministro da Eucaristia e pelo próprio padre belga. Na ocasião, o menino confirmou o que estava escrito no papel e autorizou os religiosos a tratar com os seus pais sobre o assunto.

Em casa, nenhuma resistência. Mesmo porque, dois anos antes, Lurdes, irmã cinco anos mais velha que Neuri, havia se mudado para um convento no Rio Grande do Sul. Ademir, irmão um ano mais velho que Neuri, também se empolgou com a história. Pediu aos pais e foi autorizado a ir junto.

***

No fim de 1973, Neuri e o irmão viajaram para Francisco Beltrão, município a 120 quilômetros da comunidade.

O seminário São José, encostado a uma montanha, todo construído em pinho, com dois andares e porão, chamou a atenção de Neuri. O espaço contava ainda com um campo gramado de futebol e uma área de 22 hectares de lavoura.

Pela manhã ele estudava num colégio próximo e, à tarde, depois de almoçar na companhia dos padres, seguia para a roça, onde ajudava nas plantações de milho, batata e mandioca, além do pomar com pêra, maçã, caqui, laranja. Tudo isso sempre ao lado de outros 32 estudantes seminaristas.

Neuri e alguns colegas de seminário ainda encontravam tempo para uma atividade paralela que lhes rendia alguns trocados. Com a ajuda de outro padre belga, que trouxe a técnica e os equipamentos da Europa, trabalhavam na encadernação de documentos, em especial para a prefeitura do município.

De ano em ano, o dinheiro arrecadado era usado no aluguel de um ônibus para levá-los a Aparecida, no interior paulista. O bate-e-volta de 2 mil quilômetros era exclusivo para o *show* musical do grupo Focolares, febre entre os seminaristas.

***

No seminário São José, Neuri ficou admirado com a luz elétrica, que somente chegaria na casa dos pais três anos depois. A televisão e uma mesa de pingue-pongue também mexeram com o menino prestes a completar 13 anos de idade.

Mas nada lhe atraiu mais a atenção do que a biblioteca. Até então, na escolinha do Cristo Rei, tinha lido apenas alguns livros didáticos. No seminário ele tinha um mundo à sua frente. Poderia pegar, folhear e ler o que e quando bem quisesse.

Começou a leitura por uma coleção inteira sobre as aventuras de Robinson Crusoé. Depois ficou encantado com o escritor alemão Karl May e com seus calhamaços sobre aventuras no Oeste dos Estados Unidos. Neuri viajava naqueles textos.

Entre trabalhos na roça, visitas à biblioteca e viagens anuais a Aparecida, Neuri ficou no seminário de Francisco Beltrão até 1980, quando concluiu o segundo grau e prestou vestibular para o curso de filosofia na PUC de Curitiba.

***

Na capital paranaense, Neuri se instalou num seminário e passou a ter contato com militantes de diferentes setores sociais, principalmente por meio da universidade. Iniciou a militância na Comissão Pastoral da Terra, nas Comunidades Eclesiais de Base e na Pastoral Universitária, sempre sob os olhos atentos e desconfiados dos padres que comandavam o seminário.

Para os seminaristas, o discurso era um e a prática, outra. A atuação deles na Pastoral da Terra, por exemplo, nunca foi apoiada pelos padres do seminário. Isso, aos poucos, foi desestimulando Neuri no curso de formação religiosa e levando-o a se dedicar a temas políticos no curso de filosofia.

Pioneiros do MST

Na faculdade, em tom de denúncia, elaborou trabalhos sobre obras do então governador paulista Paulo Maluf, como a rodoviária do Tietê e o aeroporto internacional de Cumbica, que considerava desnecessárias. No seminário, atualizava-se com as assinaturas da revista *Veja* e do jornal *O Estado de S. Paulo*.

***

Um ano antes de pegar o diploma, decepcionado com o que chamava de conservadorismo interno da Igreja Católica, abandonou o curso de filosofia e o seminário.

Arrumou as malas, despediu-se dos futuros padres e retornou a Capanema, do outro lado do estado, disposto a trabalhar de novo na roça, ao lado do pai e dos irmãos.

O retorno para casa não ocorreu exatamente como Neuri imaginava. Assim que colocou os pés em Capanema, foi convidado a trabalhar como assessor do sindicato dos trabalhadores rurais do município. O convite partiu de um ex-professor de primário, Pedro Tonelli, então presidente do sindicato local.

Neuri assumiu o cargo em maio de 1982 e, três meses depois, teve de encarar a morte do pai, aos 53 anos, por conta de um derrame fulminante.

A propriedade ficou a cargo da mãe e de três irmãos. Neuri estava no sindicato, enquanto um irmão, Ademir, e duas irmãs, Lurdes e Claudete, seguiam firmes na vida religiosa.

No fim do mesmo ano, as atribuições de Neuri no sindicato cresceram ainda mais quando Pedro Tonelli e o Sindicato dos Trabalhadores

Rurais de Capanema ficaram responsáveis por toda aquela microrregião sindical.

As viagens pelos municípios se tornaram rotineiras, principalmente no trabalho em parceria com a Assesoar, de Francisco Beltrão, entidade criada para oferecer assistência técnica aos trabalhadores rurais. Lá, tornou-se próximo a Jandir Basso.

Na microrregião, a ordem era manter o comando de alguns sindicatos e incentivar os trabalhadores rurais a criar chapas de oposição em alguns outros. O oeste do estado, naquele momento, vivia o calor dos despejados de Itaipu, com o Movimento dos Sem Terra do Oeste do Paraná (Mastro) na liderança das ações.

Neuri foi então a Medianeira conhecer o trabalho do Mastro. Num mesmo dia, ônibus de diferentes municípios do oeste paranaense fizeram o mesmo. No retorno, a ordem era organizar e cadastrar os lavradores sem terra. Iniciou-se então um trabalho para criar núcleos em cada uma das comunidades.

Em Capanema, Neuri organizou dezenas de encontros. Em cada um deles, sempre diante de dezenas de lavradores e filhos de pequenos proprietários, um relato da conjuntura política nacional, um histórico da luta pela terra, os direitos dos trabalhadores rurais no Estatuto da Terra e a orientação de que tudo seria feito de forma pacífica, como queriam e exigiam todos ali presentes.

O recuo do governo federal na idéia de construir uma barragem em Capanema era sempre usado nas reuniões como um fator de estímulo à organização daqueles trabalhadores rurais. A União havia desistido justamente pela pressão dos lavradores.

Pioneiros do MST

Enquanto isso, dois padres da região faziam um discurso contra o sindicato, o Mastro e a Pastoral da Terra. Os religiosos, com sede em Santa Isabel do Oeste e em Nova Prata do Iguaçu, iam às rádios para denunciar a organização "comunista" dos sindicatos. Além da atuação religiosa, os padres eram proprietários de fazendas altamente produtivas da região, em especial de soja.

No Paraná, o MST surgiu justamente nesse cenário: os filhos de pequenos proprietários e as famílias expulsas de Itaipu não tinham onde ficar e precisavam buscar uma solução alternativa à idéia dos projetos de colonização no Norte e no Centro-oeste do país.

Pioneiros do MST

***

Neuri não se considerava um líder dos sem-terra. Atuava mais nos bastidores e na organização dos lavradores. E foi justamente o acaso que o levou à primeira direção nacional do MST.

A coordenação paraense do movimento havia definido que os dois representantes do estado na direção sairiam do oeste. Um deles era Jandir Basso. O outro, uma semana antes do congresso, comunicou que não mais poderia ir a Curitiba por conta da mulher doente.

Uma reunião de emergência entre os líderes regionais foi convocada para Francisco Beltrão justamente para definir um substituto. Definiu-se por Neuri, bem-articulado e acostumado a fazer de tudo um pouco no sindicato.

Essa escolha ocorreu numa quarta-feira, na sede da Assesoar. Neuri iria a Curitiba somente na outra semana, junto com a delegação de Capanema. Mas seguiu logo na sexta-feira para ajudar na organização do congresso, o primeiro do MST.

Na capital paranaense, os organizadores passaram o fim de semana reunidos na formulação da estrutura de um documento final e ainda discutiram a viabilidade ou não de declarar o MST um movimento nacional, dúvida superada ao longo do congresso.

No primeiro dia de congresso, os sem-terra se dividiram em grupos definidos pelas cinco regiões do país. Neuri foi escolhido para coordenar a mesa da plenária do Norte, onde o movimento ainda engatinhava e as discussões tenderiam a se prolongar.

A idéia da coordenação provisória do movimento era que cada uma dessas plenárias fizesse sugestões para o documento final do congresso.

Pioneiros do MST

Antes da abertura dos grupos, João Pedro Stedile, desde então o principal organizador e ideólogo do movimento e que, por opção própria, não apareceu formalmente na primeira direção nacional, chamou Neuri a um canto para uma rápida ponderação ao pé do ouvido:

– Como é uma discussão incipiente, e o movimento ainda é novo, a tendência natural dos delegados é começar com os problemas específicos de cada um deles, das comunidades. Eles vão querer uma solução para aqueles problemas. Mas queremos linhas gerais para o movimento nas grandes questões.

Não deu outra. Começou a plenária da região Norte, e Neuri, mesmo explicando a necessidade de concisão, logo percebeu que teria muito trabalho pela frente. O tempo era de libertação da ditadura, de criação do PT, do MST e da CUT, e todos os delegados queriam abusar do direito de falar e expor suas idéias.

A cada intervenção e pedido de pressa de Neuri o desgaste dos participantes com a mesa ia crescendo. Chegou ao ponto de alguns delegados do Norte, em especial do Pará e de Rondônia, sugerirem a destituição de Neuri do comando da mesa.

O processo não avançava, e o próprio Neuri percebeu que a troca seria o único caminho naquele momento.

Ele permaneceu na mesa, mas passou o comando a José Fritsch, da Pastoral da Terra catarinense e até então redator daquele grupo. Não havia motivo para resistir naquele momento, mesmo porque a troca foi apenas uma sugestão, e não uma imposição dos demais.

***

Aquele congresso trouxe a Neuri, pela primeira vez, uma real noção de como são diferentes os tipos de conflitos fundiários e as formas de resistência em cada um dos estados e das regiões.

O oeste paranaense, até então, estava acostumado com um histórico de reivindicações no qual a pressão dos pequenos agricultores jamais optava pelo assassinato como solução.

Em Curitiba, naquele congresso, Neuri ficou impressionado com a letra de uma música puxada por dois maranhenses e cantada com raiva por todo o congresso: "O risco que corre o pau corre o machado. Não há o que temer. Aquele que manda matar pode morrer."

A formação religiosa não tinha deixado Neuri a par daquela realidade. Com a música na cabeça, aprofundou essas conversas com líderes dos sem-terra de Pernambuco, Pará, Maranhão, Rondônia e Bahia. O ex-seminarista percebeu que a espingarda, nesses estados, não tinha a caça como prioridade, e sim o revide.

***

Naquele tempo Neuri era considerado um *mão lisa* entre os sem-terra, aquele que se engaja no movimento mas que não pega na enxada como os agricultores, no caso, os *mãos grossas*.

Passado o congresso, ele voltou a Capanema. Ainda participou de duas reuniões da direção nacional em São Paulo e logo entregou o cargo àqueles que de fato eram os líderes dos sem-terra do Paraná.

Pioneiros do MST

No mesmo ano, seguindo os passos políticos do presidente do sindicato, Neuri trocou o PMDB pelo PT, legenda na qual militava desde os tempos de Curitiba, mas à qual ainda não era formalmente filiado. Pedro Tonelli saiu candidato a prefeito de Capanema, e Neuri assumiu a presidência municipal do PT.

A partir disso, por conta da política, Neuri se afastou do MST e do sindicato. Em 1986, virou chefe de gabinete de Tonelli na Assembléia Legislativa do Paraná e trocou Capanema por Curitiba. Quatro anos depois, com a eleição do amigo petista a deputado federal, seguiu com ele para Brasília, mais uma vez para comandar o gabinete, agora na Câmara dos Deputados.

Em 1995, com o retorno de Tonelli a Curitiba, Neuri permaneceu em Brasília, agora na chefia de gabinete do também petista paranaense padre Roque Zimmermann.

Com o apoio do deputado, retomou os estudos em 1996 e, cinco anos depois, concluiu o curso de direito numa universidade do Distrito Federal. Aos 40 anos, casado e pai de dois filhos, conseguiu o diploma de curso superior. Quanto ao curso de filosofia largado em Curitiba, nunca mais pensou em concluí-lo.

Após os dois mandatos com o padre petista, que retornou ao Paraná, Neuri assumiu o comando do gabinete do deputado Assis Miguel do Couto, também do PT paranaense.

A vida de chefe de gabinete seria interrompida em julho de 2005. Jaques Wagner, velho conhecido dos corredores de Câmara, assumiu a coordenação política do governo Lula em plena crise do mensalão e levou Neuri ao Palácio do Planalto. A amizade de Neuri com Eva Maria Dal Chiavon, mulher de Chicão, auxiliar direta de Wagner e antiga vizinha de gabinete, fortaleceu o convite para trocar o Legislativo pelo Executivo.

***

Assessor da subchefia de Assuntos Parlamentares da Presidência, Neuri tem uma mesa com computador e telefone no Planalto.

Às vezes passa o dia inteiro na Câmara e no Senado, de olho no trabalho das comissões e de conversa com parlamentares. O foco é negociar a aprovação dos projetos de interesse do governo.

Apesar da proximidade física com o presidente, apenas duas vezes Neuri foi chamado para descer do quarto para o terceiro andar do Planalto, onde fica o gabinete de Lula.

Na primeira delas, fez um relato ao presidente sobre as negociações para a aprovação, no Congresso, da Lei do Cooperativismo. Na segunda, falou um pouco ao petista a respeito de cooperativas de crédito.

Tudo muito rápido, sem cafezinho nem conversa fiada.

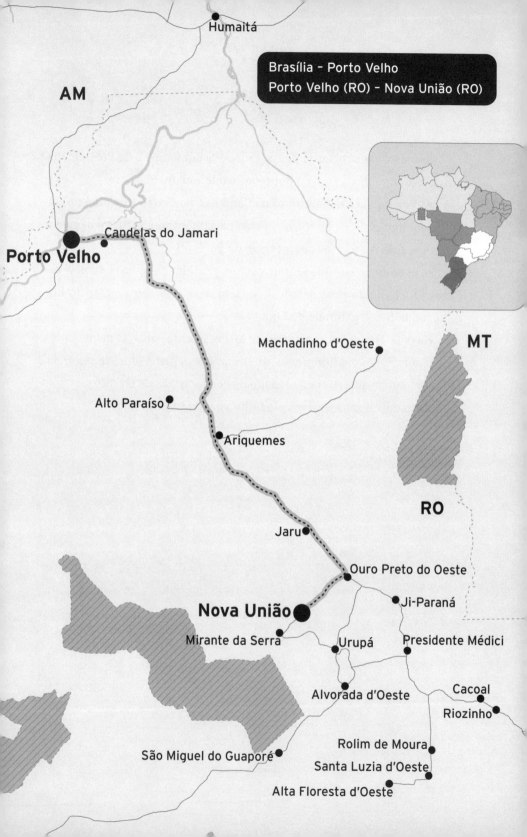

"Quarentinha"

"A gente escuta [a reclamação dos filhos] e dói pra caramba. Mas, se eu pudesse voltar aos 20 anos, faria tudo de novo. E eles sabem disso. Não me arrependo de nada."

Valdeci Assis de Andrade

Nova União, município isolado no meio de Rondônia, é a última etapa da viagem. Até lá, um vôo de duas horas de Brasília a Porto Velho e mais 370 quilômetros de carro.

Por todo o estado, o cheiro das queimadas fica impregnado no ar. O sol avermelhado parece fazer força para atravessar com seus raios a cortina de fumaça. A sensação é de estar dentro de um forno.

Entre a capital rondoniana e Nova União o cenário é de pura devastação. Às margens da BR-364, passando por Ariquemes, Jaru e Ouro Preto do Oeste, onde duas décadas atrás havia uma densa floresta amazônica, há extensos descampados e áreas inundadas para a formação de represas.

Nova União tem apenas uma rua asfaltada, na verdade a própria rodovia estadual que corta a pequena cidade. Num assentamento de lá está Valdeci Assis de Andrade, de 47 anos.

***

Valdeci é natural de Mantenópolis, no extremo oeste do Espírito Santo, colado à divisa com Minas Gerais. Quando nasceu, no início da década de 1960, o município era palco de uma polêmica disputa territorial entre os dois estados, tanto é que por lá havia dois cartórios: um espírito-santense e um mineiro.

Em meio ao contestado, os pais optaram por registrá-lo no primeiro, o que fez de Valdeci um espírito-santense por opção.

Lavradores sem terra, o espírito-santense Sebastião Assis de Andrade e a mineira Jordalina, pais de Valdeci, pingavam de fazenda em fazenda, ora em Minas Gerais, ora no Espírito Santo.

Tamanha incerteza de trabalho fez com que arrumassem as malas e seguissem rumo ao Paraná em 1962. Valdeci tinha apenas 2 anos. Havia ainda um irmão recém-nascido, Valdenir.

A promessa para a mudança foi a mesma ouvida quatro anos antes pela família de Parafuso, quando também trocou o Espírito Santo pelas lavouras de café no norte paranaense.

Depois de uma longa viagem num pau-de-arara, Sebastião, Jordalina, Valdeci e Valdenir se instalaram em Umuarama, onde, além de espírito-santenses, encontraram lavradores mineiros, baianos e piauienses, todos atraídos pelo eldorado do café.

Valdeci chegou ao Paraná com 2 anos.

A partir dos 7 anos, ele acordava às quatro da manhã e ia ajudar o pai na plantação de café. Sebastião, o pai, batia na madeira da cama, tirava o filho de debaixo das cobertas e ainda tentava explicar o motivo daquele sacrifício:

– Vamos, vamos, meu filho, quem sabe um dia melhora.

No início era só Valdeci, o mais velho. Depois vieram Valdenir e os outros cinco que nasceram no Paraná. A ordem de Sebastião era a

Pioneiros do MST

seguinte: completou 7 anos já pode ajudar na roça. De tão altos os pés de café, pai e filhos usavam escadas para colher os frutos.

O trabalho era duro, e a comida, escassa. As refeições eram quase sempre na base da canjica e do feijão. Arroz no prato era uma raridade. O acordo de trabalho deixava 40% da produção para a família, e o restante para o proprietário da terra.

Exigente com o trabalho dos filhos, Sebastião também cobrava com os estudos. Nenhum deles deixava de ir ao colégio, distante 2 quilômetros da comunidade em que viviam.

***

Sebastião e os sete filhos permaneceram 13 anos no Paraná, sendo apenas um deles fora de Umuarama, quando arriscaram o trabalho numa fazenda na também paranaense Alto Piquiri, justamente onde Parafuso conheceu sua mulher, Maria Helena. As famílias também se uniram: um tio de Valdeci se casou com uma irmã de Parafuso.

No norte do Paraná, principalmente para quem veio do calor do Espírito Santo, como a família Andrade, o frio era rigoroso.

Em julho de 1975 todos foram surpreendidos por dois dias seguidos de uma arrasadora geada. Os mais velhos da região haviam alertado sobre isso: uma forte e destruidora geada vem sempre a cada 20 anos, não tem como escapar. A de 1975, assim como as anteriores, acabou com todos os cafezais da região.

Na área onde trabalhavam, Sebastião, Jordalina e os sete filhos perderam toda a plantação de amendoim e cerca de 3 mil pés de café, todos com mais de 30 anos. Não havia como recuperar o cafezal. O único jeito, se quisessem, era derrubar todos os pés, varrer aquela terra e começar do zero. Mas nem tudo estava perdido. Por sorte, a geada caiu poucas semanas após a colheita. Sebastião já havia colhido e vendido todo o café da safra.

Daquela região do Paraná, alguns vizinhos arrumaram as malas e seguiram para Santarém, no Pará. Outros pegaram o caminho de Sinop, no norte de Mato Grosso. Sebastião, com o pouco dinheiro da colheita no bolso, seguiu sozinho para Rondônia, de onde um irmão sempre escrevia com notícias um pouco animadoras sobre a colonização da Amazônia.

Quatro anos antes, esse mesmo irmão havia passado por Umuarama e convidado todos a seguirem com ele para o Norte. Na época, Sebastião se esquivou. Com a geada ele mudou de idéia.

Então com 15 anos, Valdeci ainda se lembra da alegria do pai ao retornar de Rondônia. Entusiasmado, falou sobre o tamanho das árvores na floresta e mostrou à mulher e aos filhos uma banana-da-terra, daquelas de cozinhar e fritar, algo que nunca tinham visto nos tempos de Espírito Santo e de Paraná.

Estava decidido. Só precisavam arrumar dinheiro para alugar um caminhão e seguir viagem para o Norte do país. Para isso, Sebastião comprou uma motosserra e levou os filhos para trabalhar com foices na limpeza dos cafezais destruídos. Ganharam uns trocados, reuniram outras dez famílias e alugaram um pau-de-arara.

**

Em 6 de dezembro de 1975, em Umuarama, o adolescente Valdeci embarcou no pau-de-arara, um Mercedes-Benz.

Pioneiros do MST

Na carroceria não havia bancos, apenas uma lona para proteger os lavradores do sol e da chuva. Cada uma das 11 famílias se acomodou como pôde. Valdeci se ajeitou em cima de sacos de açúcar. Outros sobre colchões e sacos de roupas ou apoiados numa carroça de boi colocada no meio dos objetos pessoais das famílias.

As mulheres, em especial as mais velhas, se revezavam na cabine do caminhão, no banco ao lado do motorista.

Antes de deixar o Paraná, Valdeci tinha ouvido de colegas muita boataria sobre a Amazônia. Em tom de brincadeira, diziam que seria atacado por animais, e que, vira e mexe, eram encontradas botas de borracha apenas com o toco do pé de nativos devorados por onças-pintadas.

Valdeci não deu muita importância àquelas conversas, mas, no caminho, em cima da carroceria, ficou de boca aberta depois que o pau-de-arara passou por Cuiabá e ganhou aos poucos a Amazônia mato-grossense. Revoadas de tucanos e árvores de até 30 metros de altura chamavam a atenção nas duas margens da BR-364, rodovia ainda de terra.

Viagem longa e carroceria lotada. No quinto dia de estrada, percorridos quase 2 mil quilômetros, o motorista dormiu ao volante, o pau-de-arara bateu num barranco de terra e capotou.

Era início da madrugada, e todos os 25 passageiros foram jogados na estrada de terra. Teve gente com braço, perna ou costelas quebrados. Nenhum deles com gravidade.

Valdeci foi o último a ser encontrado. Os sacos de açúcar, cada um de 60 quilos, caíram em cima do adolescente. Apenas as solas do pé ficaram à mostra. De ponta-cabeça, no escuro, gritou por socorro até ser puxado pelas canelas por um primo.

Pioneiros do MST

O socorro demorou a chegar, e os feridos receberam os primeiros socorros num batalhão do Exército próximo ao local do acidente.

Ao amanhecer, o caminhão capotado estava cercado por um grupo de índios curiosos, oportunidade para Valdeci e muitos daqueles migrantes vê-los pela primeira vez.

O acidente atrasou em dois dias a viagem, e a chegada ao destino, Ouro Preto do Oeste, ocorreu no dia 17, totalizando 2.300 quilômetros em 11 dias em estradas de terra.

***

No caminho, Valdeci se impressionara com tucanos, índios e árvores gigantes. Agora, já de fato no meio da floresta, espantou-se com a quantidade de peixes nos rios, riachos ou lagoas e também com a fartura de arroz, comum em locais com muita água, o que não ocorria em meio aos cafezais no noroeste do Paraná.

Os nove da família Andrade se instalaram num barraco com estrutura de madeira e coberto com folhas de babaçu na propriedade do tio Daniel, o mesmo que mantivera a rotina de enviar cartas ao irmão Sebastião desde que chegara ao estado.

Do povoado de Ouro Preto do Oeste até a propriedade de Daniel eram cerca de 8 quilômetros, sendo 4 deles pela BR-364, no sentido de Porto Velho, e outros 4 quilômetros à esquerda, numa trilha ainda hoje chamada de linha 81.

No início, nem de bicicleta se passava pela L-81. Apenas com botas e foices.

Pioneiros do MST

A cada 4 quilômetros havia uma espécie de marcação na beira da estrada, um descampado com estacas de onde partiam as medições das áreas, tanto à direita como à esquerda.

Para facilitar a localização, essas marcações na L-81 eram conhecidas pela distância a partir da BR-364. Por exemplo: o sítio de Daniel ficava na marcação Quatro, ou seja, a 4 quilômetros da rodovia federal. Elas seguiam pela L-81 adentro, no meio da floresta. Passada a Quatro, vinham a Oito, a Doze, a Dezesseis e assim por diante.

Em cada uma dessas marcações, quem chegasse primeiro abria picadas e demarcava o próprio lote, na expectativa de um dia ser reconhecido e titulado pelo governo federal. Na época, o Incra tinha chegado apenas até a marcação Quatro.

De forma precária, os posseiros usavam facões, foices e cipós de 10 metros para fazer as demarcações.

Um lote de 100 hectares, tamanho padrão por lá, era calculado da seguinte forma: a partir da L-81, abria-se uma picada de 500 metros à direita ou à esquerda e, ao fim dela, fincava-se um talo de babaçu, que definia a largura da propriedade.

Desse mesmo talo uma outra picada, de 2 quilômetros e paralela à L-81, era aberta para delimitar a profundidade do lote. Para terminar e concluir o retângulo, mais um talo de babaçu e uma última picada para atingir de novo a L-81.

***

Valdeci, os pais e os irmãos viviam na Quatro, mas tinham de cuidar do lote que o tio Daniel havia demarcado para eles na longínqua Quarenta e Quatro. O pedaço de 100 hectares estava cravado no meio da floresta, mas era preciso visitá-lo de tempos em tempos para que não fosse ocupado por outros.

O lote ficava a exatos 51 quilômetros do sítio de Daniel. Pela L-81, eram 40 quilômetros entre a Quatro e a Quarenta e Quatro. E, a partir de uma vicinal, outros 11 quilômetros até a chamada "marcação" da família. Tudo isso nos limites de Ouro Preto do Oeste.

A partir do início de 1976, Valdeci e o pai, sempre ao lado de outros posseiros, saíam da Quatro por volta das cinco da manhã e chegavam à "marcação" entre sete e oito da noite. Nos tempos de chuva, em meio ao lamaçal que atrasava a caminhada, levavam um dia e meio no trajeto. O cochilo era no meio da mata.

Valdeci carregava um cacaio, um tipo de mochila de viagem, pendurado nas costas, com pelo menos 15 quilos. Nele estavam as ferramentas e os mantimentos necessários para duas semanas no meio da selva, antes do retorno para o barraco da família no sítio do tio Daniel. Os mais velhos, como Sebastião, levavam cacaios com até 30 quilos.

No início de 1976, quando a família Andrade fez as primeiras caminhadas ao lote, a L-81 estava aberta somente até a Dezesseis. Era lá o ponto máximo atingido pelos chamados caminhões toreiros, usados no transporte das toras retiradas de forma frenética da floresta pelas madeireiras.

A partir daquele ponto a L-81 se transformava numa estreita picada na qual pessoas a pé mal conseguiam se enfiar. A mata era tão fechada que a família nem conseguia perceber a luz do sol. Estava coberta pelas copas de mognos, cerejeiras, ipês, breus e jatobás.

O calor era insuportável. Por conta da forte umidade, minutos de caminhada já deixavam todos molhados de suor.

Pioneiros do MST

Naquele tempo não faltava gente perambulando pela L-81. A cada 2 ou 3 quilômetros, sempre ao lado de um riacho, havia os chamados pontos de merenda, barracos de folhas para aqueles que quisessem dormir no meio do caminho, e ainda um jogo de panelas de uso comum. Era usá-las e deixá-las, limpas, para o próximo grupo.

Valdeci e Sebastião quase sempre levavam um dia e meio para fazer o trajeto. Cansados, preferiam dormir na Quarenta e seguir os 15 quilômetros restantes na manhã seguinte.

***

Na "marcação", aquele grupo de oito a dez posseiros trabalhava em forma de mutirão. A cada viagem, roçavam cerca de meio alqueire em cada um daqueles lotes demarcados por eles mesmos na base do cipó e das picadas abertas com foice.

Lá o mais importante era tomar conta da área, e não abrir espaço para a plantação, mesmo porque, pela extrema dificuldade de acesso, não havia naquele momento como cogitar uma mudança em definitivo. O jeito era ficar nesse vaivém até que a L-81 fosse estendida até lá.

Esse grupo era substituído por outro após duas semanas na "marcação". Valdeci às vezes ia sozinho com uma turma e só deixava o local quando da chegada do pai e do irmão Valdenir.

O revezamento na área era a precaução necessária diante do vaivém de dezenas e dezenas de posseiros naquelas trilhas, muitos deles gaúchos e paranaenses atraídos pelas promessas da ditadura militar de vida nova no Norte do país. Uma área malcuidada poderia ser ocupada por outro posseiro.

O grupo que saía junto da Quatro era unido e bem-humorado. Uma simples bota de borracha atolada no meio da lama era motivo de brincadeiras. Um pedaço de bolo retirado do cacaio era repartido entre todos. Remédios, da mesma forma. Havia ainda rodízio para carregar os feridos em redes.

– As dificuldades acabavam nos aproximando. Todos tinham a esperança no olhar. Cada um se apoiava no outro – lembra Valdeci.

Na Quarenta, depois de um longo dia na roça, todos dormiam num barraco coletivo. Antes, um ou dois posseiros saíam para caçar, quase sempre um porco-do-mato para ser misturado ao arroz trazido no cacaio. Conhecido por lá como porção, o animal era presa fácil. Andava em bandos, que passavam próximos ao barracão, e seus olhos brilhavam ao cruzar com a luz da lanterna.

Pioneiros do MST

Um tiro de espingarda, e o jantar estava pronto para ser assado num improvisado fogão a lenha. As cascas de castanheiras eram o segredo de Valdeci para fazer o fogo.

Ele não gostava de caçar nem de comer a caça. Nessas caminhadas pelas picadas, deu sorte. Só cruzou com onças mortas, uma pintada e duas suçuaranas.

Tinha medo de cobra, em especial da chamada cobra-papagaio, animal supervenenoso, de até 2 metros de comprimento e de difícil visualização quando pendurada nas árvores. No escuro da floresta, ganhava tonalidade verde ao ser iluminada com a luz da lanterna. Valdeci matou várias delas. Às vezes, roçando o lote da família, cutucava sem querer o bicho.

No lote da Quarenta e Quatro, Valdeci, o pai e os irmãos davam um duro danado pra abrir os descampados. As árvores eram muito grossas, e não havia como percorrer 51 quilômetros com aquela motosserra comprada em Umuarama nas costas.

Mogno, ipê e itaúba, essa última resistente e usada na construção de canoas, eram derrubados com serrotes e machados. Não havia nem como comercializar a madeira. Como o acesso mais próximo a caminhões toreiros estava a quase 40 quilômetros de lá, essas toras gigantescas e valiosas eram queimadas ali mesmo. Sebastião não queria vê-las ocupando espaço na propriedade.

Naqueles tempos, fim da década de 1970, o único lucro do lote vinha do látex extraído de uma árvore da família das seringueiras. O líquido era trocado por latas de óleo ou sacos de açúcar em barracos de comércio localizados sempre nas "esquinas" das marcações, como na Dezesseis e na Vinte e Quatro.

Pioneiros do MST

***

As idas e vindas pelos 51 quilômetros entre o sítio do tio Daniel e o lote da família Andrade duraram quase três anos, do início de 1976 até julho de 1979, quando, enfim, o governo federal abriu a L-81 até a Quarenta, na época mais conhecida pelos posseiros como a "Quarentinha".

Dois meses antes, Valdeci teve de ajudar na mudança da sogra para um lote também na Quarenta e Quatro. A mãe de Cleusa, com quem se casara semanas antes, já vivia em Ouro Preto do Oeste quando a família Andrade chegou ao Paraná.

O pior de tudo, como parte da mudança, foi levar os 15 porcos da sogra para o novo lote. Em maio de 1979, a L-81 só estava aberta até a "marcação" Vinte e Oito. E de lá até o lote seriam 24 quilômetros na picada com a porcada. Uma missão que coube a Valdeci, um cunhado e um primo.

A viagem começou ao raiar do sol. Os 15 porcos na frente, enfileirados, e os três lavradores logo atrás, cada um com uma espingarda nas mãos e um cacaio amarrado nas costas.

Os porcos eram mansos, andavam sempre juntos, mas foram irritando aos poucos os tocadores. A cada córrego ou nascente d'água, a porcada saía em disparada pela mata, cortava os lamaçais e se lançava para matar a sede.

A tentativa de contê-los parecia um pesadelo. Lisos e sujos de barro, os porcos aplicavam dribles desconcertantes e viam os três lavradores rolarem e se espatifarem no meio do lamaçal. Eles perderam a conta de quantas vezes correram atrás dos animais e acabaram para trás e com a cara no chão.

Naquele tempo nem se falava em estresse, mas Valdeci, o cunhado e o primo estavam de fato perdendo o controle. Gritavam e xingavam os

Pioneiros do MST

porcos a cada escapada dos animais. Todo o estoque de palavrões que tinham foi usado contra a porcada.

A caminhada durou o dia inteiro. Por volta das sete da noite, Valdeci atingiu o barracão até então usado por ele, pelo pai, pelo irmão Valdenir e por outros posseiros nos dias em que tomavam conta dos lotes da Quarenta e Quatro.

Exaustos, decidiram passar a noite ali mesmo, a menos de uma hora de caminhada até a área da sogra. A noite já havia caído, e avaliavam ser impossível conter uma eventual debandada dos porcos por aquelas picadas estreitas.

Valdeci viu aquela fileira de porcos se aproximando do barraco e não teve dúvidas: colocou todos para dentro. Ele e os dois companheiros se ajeitaram do lado de fora, em cima do capim. Foi a forma que encontrou para prender os animais e dormir despreocupado. Como prevenção, ainda colocou lascas de palmito na porta do barraco. Desnecessárias, pois os porcos, de tão cansados, nem esboçaram uma escapadinha na madrugada.

***

Em julho, recuperado do passeio com a porcada, Valdeci ajudou os pais e os seis irmãos com a mudança da Quatro, no sítio do tio Daniel, onde estavam desde dezembro de 1975, para o lote na Quarenta e Quatro.

A L-81 tinha sido aberta até a "Quarentinha" por tratores de esteira, e todos os lotes estavam oficialmente demarcados pelo Incra.

O lote imaginado por eles nos últimos três anos, marcado de improviso pelos posseiros com cipó e foices, ficou a 2 quilômetros de onde oficialmente foram encaixados pelo Incra.

Num caminhão toreiro, a mudança parou na "Quarentinha". De lá, foi puxada por uma mula em três etapas. O animal trabalhava dia sim, dia não. Afinal, não era fácil encarar aquela picada de 15 quilômetros arrastando um monte de objetos pessoais.

No lote eles passaram por apertos, principalmente nos primeiros meses. Por lá, plantavam apenas para a subsistência, pois não havia como escoar uma eventual produção. Nada de energia elétrica. A maioria usava lamparina a querosene. Alguns, com um dinheirinho a mais, apareciam com um lampião a gás.

Em Ouro Preto do Oeste, por exemplo, a energia elétrica foi instalada somente em 1982. Até então, a sede do município funcionava graças a um parque de energia movido a óleo *diesel*.

Na Quarenta e Quatro nem rádio funcionava. Para sintonizar alguma coisa, só na "Quarentinha". Lá, onde começava a se formar o povoado mais tarde batizado de Nova União, era possível ouvir com alguma dificuldade a Rádio Nacional de Brasília, das oito da manhã até as três da tarde, no máximo. Depois disso, por mais que se girasse o botão da sintonia, encontrava-se apenas a interferência de rádios bolivianas.

A L-81 só chegou à Quarenta e Quatro no fim de 1979. Até então ela estava restrita a caminhões toreiros e a tratores de esteira. A trilha original feita pelos picadeiros foi quase toda mantida, com desvios apenas em alguns morros no meio do caminho.

Foi aí, a partir de 1980, que surgiram os primeiros meios de transporte até a sede de Ouro Preto do Oeste. Na L-81 passavam os chamados picapeiros. Os motoristas cobravam passagem dos lavradores, e as carrocerias dessas picapes iam lotadas até a cidade, sem nenhum tipo de segurança.

Os primeiros ônibus só apareceram em meados da década de 1980, quando a qualidade da pista de terra já permitia a passagem desse tipo de veículo. Antes disso, uma dessas caminhonetes derrapou na pista e caiu no rio São Domingos: 17 posseiros morreram na hora.

***

O aglomerado de propriedades em torno da picada da Quarenta e Quatro ganhou o nome de Santa Bárbara.

Na comunidade, com um dia de serviço de cada família, logo ergueram uma igrejinha. Valdeci, que no Paraná fez a primeira comunhão e freqüentava as missas todos os domingos, transformou-se no "pregador" daquele templo. Era um dos que tinham estudado um pouco mais – até a sétima série.

Na Santa Bárbara, era ele quem organizava os cultos aos domingos, agendava reuniões, e, aos poucos, com o apoio da paróquia de Ouro Preto do Oeste, transformou aquela igrejinha num ponto de encontro das Comunidades Eclesiais de Base.

As missas eram raras por ali. O que faziam, para juntar mais gente, era organizar culto num domingo na igrejinha da Quarenta e Quatro e no outro na da "Quarentinha".

Valdeci gostava de ler panfletos e cartilhas sobre temas nacionais, em especial os produzidos pela Comissão Pastoral da Terra. Aos domingos, no encontro com os vizinhos da comunidade, levantava discussões sobre colonização e migração.

Um dos fundadores do PT local, Valdeci participava ainda de grupos de reflexão e de cursos na paróquia do município. Lá os padres lhe

falavam sobre a luta pela terra e sobre a Teologia da Libertação, corrente cristã formada por padres, bispos e agentes pastorais que coloca a
Igreja como um meio para mudanças sociais.

Até hoje a Pastoral da Terra trabalha com estatísticas sobre os conflitos no campo. A exposição desses índices irritava Valdeci. Nervoso,
queria soluções justamente para evitar novos números.

Era o tempo em que as terras antes disponíveis a quem chegasse
primeiro em Rondônia começavam a escassear e eram disputadas muitas vezes à bala. Todos que chegavam por lá se achavam no direito de
também demarcar um pedaço de terra.

Os conflitos e as notícias de assassinatos estavam em todos os can-
tos do estado, em especial para os lados de Colorado do Oeste e de Pimenta Bueno. Por intermédio da Pastoral da Terra, Valdeci passou a visitar esses locais e a organizar encontros com os posseiros. Muitas vezes,
numa negociação, sentava-se a uma mesa na qual ele e os dois envolvidos na disputa estavam armados. Os posseiros com espingardas, e Valdeci com um revólver na cintura.

Foi nesse período, nos primeiros meses de 1984, que chegou à paróquia de Ouro Preto do Oeste uma cópia do documento final do primeiro
encontro do MST, ocorrido em janeiro daquele ano, em Cascavel, no Paraná.

Valdeci ficou empolgado ao ler aquele material. Ele e outros militantes da paróquia pediram que os padres locais, por meio da Pastoral da
Terra nacional, conseguissem trazer a Rondônia algum dirigente do
MST. Queriam ouvir da boca de um deles a experiência de organização e
de luta nos estados do Sul.

O contato foi feito, e Francisco Dal Chiavon, o Chicão, foi o encarre-
gado pelo MST de falar aos lavradores e posseiros de Rondônia. Em

Pioneiros do MST

setembro, desembarcou em Ouro Preto do Oeste, justamente na oportunidade em que adotou o disfarce de frei Carmelo na conversa por telefone com a mulher, em Chapecó.

Valdeci e cerca de 200 posseiros se reuniram num barracão da igreja e ouviram Chicão falar sobre a organização de um acampamento. Eles
perceberam de imediato a imensa diferença entre as formas de luta no
Norte e no Sul.

Em Rondônia, o posseiro delimitava a própria área com um pedaço
de cipó e a demarcava com tocos de babaçu.

Já nos estados onde o MST estava organizado, as vias de acesso à
terra passavam pela ocupação, pelo acampamento e pelas negociações
com os governos estadual e federal. Resolver à bala, como no Norte, não
estava entre os focos de discussão.

Chicão deixou a idéia de organização e o convite para que envias-
sem uma comitiva ao primeiro congresso nacional do movimento, marcado para dali a quatro meses, em Curitiba.

**

Em janeiro de 1985, um ônibus lotado saiu de Rondônia com destino à capital paranaense. Nele havia trabalhadores rurais do próprio estado e outros do Acre e da região da Transamazônica, no sul do Amazonas
e no oeste do Pará.

O MST tinha pressa em se nacionalizar, e incluiu Rondônia na lista
de estados a indicar representantes para a primeira direção do movimento. Valdeci virou diretor e membro da executiva nacional.

Pioneiros do MST

Ao fim do congresso, os 20 primeiros diretores nacionais do movimento foram chamados ao palco. Lado a lado, de braços dados, Valdeci, Neuri, Antônio Inácio, Olinda, Chicão, Betão, Osvaldo, Sílvio, Santos, Parafuso, Jandir, Santina, Geraldo e Darci foram aplaudidos pelos 1.500 agricultores de todo o país que lotaram o teatro Guaíra.

Valdeci deixou Curitiba no dia seguinte, voltou para casa e avisou à mulher que, a partir daquele momento, a rotina da família seria outra. As viagens seriam seguidas e a atenção ao lote cada vez menor.

Em 1985, com 24 anos e recém-escolhido diretor do MST, Valdeci tinha quatro filhos, dois meninos e duas meninas. O primeiro nascera em 1978, quando ele tinha apenas 17 anos, e a mulher Cleusa, 16. Até 1984 vieram outros três.

Pioneiros do MST

Valdeci, a mulher e os quatro filhos viviam num barraco erguido no lote dos pais. Em volta, apenas para a alimentação da família, o novo diretor do MST mantinha uma pequena plantação de arroz e feijão. As atividades na Pastoral da Terra e no PT já o tinham afastado de lá.

A partir do congresso, Valdeci passou a fazer pelo menos uma viagem por mês. Cada uma delas durava de 10 a 15 dias. Ia a Belém, Marabá, São Luís, Imperatriz, Teresina, Goiânia, Anápolis e muitas vezes a São Paulo, onde participava das reuniões da direção e da executiva nacional.

Tornou-se comum chegar ao lote, passar cinco dias com a família e sair para outra viagem.

– Eu sabia que estava fazendo falta num canto, mas tinha que estar no outro – afirma.

Cada ida de ônibus a São Paulo durava cerca de 48 horas.

Em São Paulo, nas reuniões, o ritmo das discussões e dos encaminhamentos era controlado com rigor, sem espaço para bate-papos. Havia horário tanto para começar como para o descanso nos intervalos. Tudo isso para valorizar as cansativas viagens da maioria dos dirigentes, vindos de todas as regiões do país.

Como as reuniões ocorriam em áreas cedidas pela Igreja, havia espaço para uma partida de futebol nos fins de tarde. No meio-campo, a armação das jogadas sempre passava pelos pés de Valdeci. O goleiro era Osvaldão, do Rio de Janeiro, enquanto Stedile e Chicão formavam a dupla de zagueiros.

Palmeirense fanático, Valdeci chegava ao ponto de antecipar as viagens a São Paulo ou adiar o retorno a Rondônia para assistir aos jogos de seu time.

Enquanto isso, no lote do sogro, Cleusa se virava como podia para cuidar dos quatro filhos. Sem o marido e sem nada na roça, era comum

Pioneiros do MST

ela deixar os filhos com a sogra e andar 12 quilômetros até Nova União para comprar um pouco de comida.

***

Valdeci parecia anestesiado por conta da militância. Andava prevenido. Não puxava conversa com desconhecidos e jamais se apresentava como dirigente do MST. Quando saía do lote do pai, tinha o hábito de fazer caminhos diferentes, na tentativa de dificultar algum tipo de emboscada.

Naquele tempo havia no MST a clara preocupação com o fortalecimento da União Democrática Ruralista (UDR), entidade criada por fazendeiros para conter as propostas de reforma agrária durante a Constituinte de 1987/1988 e que, em meio a isso, defendia o uso da força como resposta às ações dos sem-terra.

Entre os sem-terra valia defender o MST e atacar essa entidade dos fazendeiros. Um exemplo disso ocorreu no fim da década de 1980.

Reunidos na secretaria nacional do MST, em São Paulo, definiram a estratégia de arrancar uma a uma as faixas de convocação para um congresso da UDR espalhadas pela capital paulista.

Os sem-terra, então, se dividiram em grupos de quatro.

Valdeci entrou no carro de um advogado do MST. Foi acompanhado por José Rainha Jr. e pela mulher do advogado.

Durante a madrugada, com o auxílio de um estilete amarrado na ponta de um bambu, ajudou a recolher dezenas de faixas da UDR. Em cima da ponte do Limão, que liga as zonas Norte e Oeste paulistanas, houve tempo para uma rápida pichação contra os ruralistas.

Pioneiros do MST

Da Marginal do Tietê o motorista avistava a frase de Valdeci: "Fora, assassinos da UDR."

Antes do amanhecer, houve festa no MST. Muita cerveja e gritos de guerra, com um amontoado de faixas da UDR enroladas e jogadas num canto da secretaria nacional do movimento.

***

Arrancar faixas e fazer pichações era moleza. O problema era encarar os conflitos por terra no interior de Rondônia.

Em 1989, o diretor nacional do MST foi informado sobre um conflito, com mortos, entre pistoleiros de uma fazenda e um grupo de sem-terra acampado. Valdeci pegou o fusquinha amarelo do movimento em Ouro Preto do Oeste e seguiu para o município de Espigão do Oeste.

O clima era de absoluta tensão no sul rondoniano, e Valdeci percorreu 24 quilômetros depois da cidade até encontrar os barracos do acampamento, bem no meio do mato. Lá ele ficou sabendo que os mortos eram ligados ao fazendeiro.

Foram três dias no acampamento, até uma rápida saída ao centro do município para comprar comida para os sem-terra. Nem houve tempo para isso. Na porta do armazém, Valdeci foi cercado por policiais e preso sob a suspeita de participação no crime.

Ele e outro militante do MST ficaram 72 horas atrás das grades: as primeiras na delegacia de Espigão do Oeste, e o restante em Pimenta Bueno, às margens da BR-364.

Nas duas delegacias, o telefone não parava de tocar. Gente de Porto Velho, São Paulo e Brasília, representantes do MST, do PT e da Pastoral

Pioneiros do MST

da Terra, em busca de notícias de Valdeci, que havia sido levado a Pimenta Bueno pela polícia como precaução, por conta do clima de vingança escancarado nas ruas de Espigão do Oeste. Quando conseguiu a liberdade, retornou ao município apenas para assinar o ato de soltura. Foi lá que ouviu a correta constatação do delegado local:

— Você tem as costas quentes, hein, meu amigo?

***

As seguidas viagens, a prisão, a improdutividade na própria plantação e a insatisfação da mulher e dos filhos pesaram para que, em 1990, aos 30 anos de idade, Valdeci se afastasse da direção nacional do MST.

Numa reunião em São Paulo, Valdeci teve de recusar um convite para passar alguns anos na capital paulista e cuidar da burocracia da secretaria nacional do MST. Em seguida, no mesmo encontro, pediu aos

líderes do movimento para voltar a Rondônia e, de lá, atuar na recém-criada secretaria agrária do PT.

Valdeci não precisou desabafar com ninguém, pois todos ali sabiam que as explicações dele eram todas para que, de algum jeito, conseguisse retornar para casa e ficar ao lado da família.

De volta a Rondônia, ainda com a mulher e os filhos num barraco montado no lote dos pais, Valdeci demorou a se acostumar com o afastamento das reuniões e das decisões do MST. Passou muitas noites em claro se perguntando se, sem ele, o movimento andaria da mesma forma. Às vezes, ficava com a sensação de que havia abandonado o barco numa atitude impensada e covarde.

– Militância é um vício. Muitas vezes você pára de noite e começa a lembrar... é um vício que fica impregnado – afirma hoje.

＊＊

Aos poucos, o vício da militância com os sem-terra foi cessando, principalmente pelo fato de, ao mesmo tempo, ter intensificado a sua participação nas instâncias do PT, tanto pela Secretaria Agrária como no mundo político de Rondônia.

Valdeci, naquele tempo, chegou a integrar o diretório nacional do partido.

Os cansativos deslocamentos também diminuíram. Agora, pelo PT, enfrentava as 48 horas de ônibus entre Nova União e São Paulo "somente" uma vez a cada dois meses.

Foram quase dois anos perto da mulher e numa nova rotina de aprender a conviver com os filhos. Isso até 1992, quando ajudou na campanha que levou o PT à prefeitura de Ouro Preto do Oeste.

No ano seguinte, foi nomeado secretário-adjunto de Agricultura e mudou-se para a cidade. Com a saída do secretário, logo assumiu como titular da pasta. Permaneceu no cargo até 1995, um ano antes do término do mandato, quando o prefeito mudou de partido, e os indicados petistas deixaram a prefeitura.

De lá, Valdeci não voltou para casa. A convite do irmão Valdenir, assumiu o comando de uma cooperativa ligada ao MST estadual. Não recebia nada por isso, apenas dores de cabeça e desavenças. Agüentou um ano, até abandonar o cargo, decepcionado e disposto, mais uma vez, a se dedicar à família.

E foi o que fez. Por sorte, antigos amigos o encaixaram numa lista de futuros assentados de uma área a ser desapropriada em Nova União pelo governo federal. Isso porque, depois do trabalho topográfico do Incra, descobriu-se que havia mais lotes do que famílias sem terra cadastradas como beneficiárias do projeto.

A fazenda foi desapropriada em 1997, mas Valdeci só entrou no lote um ano depois, quando foi intimado pelas demais famílias do assentamento. Ou ele ocupava de vez aquele pedaço de terra ou outro sem-terra seria colocado no lugar. Valdeci nunca tinha acampado com aquelas famílias, e sabia que estava ali de favor, pelo respeito que conquistara nos tempos de MST.

No lote de 25 hectares Valdeci construiu uma casa de alvenaria, cuidou da lavoura de subsistência e, de olho no mercado da região, investiu logo na plantação de banana e de feijão.

O tempo era de muito suor e de algumas decepções. Uma delas veio num dia de trabalho no batedor de cereais. Ao lado dos vizinhos de assentamento, perdeu a ponta de um dedo na correia da máquina. A unha e o pedaço de carne se perderam em meio ao farelo de feijão, e Valdeci seguiu o trabalho até o fim daquele dia, quando então aceitou ser levado na garupa de uma moto até o hospital.

Nesse meio tempo, para conter o sangramento, tratou apenas de amarrar um pedaço de pano no ferimento.

A plantação de banana era a menina dos olhos de Valdeci. Chegou a ter um bananal com 15 mil pés. Isso quando uma indústria de Cacoal, município a quase 200 quilômetros de Nova União, comprava toda a sua produção.

O *boom* do mercado de bananas fez até Valdeci arriscar um financiamento de uma possante caminhonete, chamada por ele de "caminhãozinho". Ele e a mulher Cleusa, todos os dias, enchiam de bananas a carroceria.

O entusiasmo não durou um ano. Em 2004, um vendaval atingiu todos os municípios da região e tombou o bananal de Valdeci. Destruiu também os pés de banana do proprietário da indústria de Cacoal, que, sem a matéria-prima, fechou as portas do negócio. A Valdeci restaram as parcelas a vencer da nova caminhonete.

A insistência com as bananas não foi uma boa opção. Nos dois anos seguintes, todo o terreno de Valdeci foi consumido por incêndios durante a estiagem. As chamas destruíram o novo bananal, o pasto do gado e as plantações de cupuaçu, cacau e café.

Ipês e cedros-rosas resistiram como puderam ao fogo. Restaram seus brotos, que, livres de novas queimadas, podem reflorescer num prazo de dez anos.

Intactas, restaram apenas as mil tecas, árvores plantadas assim que colocou os pés no assentamento. Madeira de primeira qualidade, e comum em países como Indonésia, Mianmá e Sri Lanka, a teca possui uma casca dura, que protege o miolo, mesmo se exposta a alguns dias de incêndio.

– Conheci essa árvore pela revista *Globo Rural*, numa reportagem sobre um produtor de Mato Grosso – diz.

Valdeci encara essa plantação, no fundo do lote, como uma espécie de poupança para ele, Cleusa e os cinco filhos, sendo um deles adotivo. A teca leva 25 anos para atingir o ponto de corte, prazo pequeno se comparado com outros tipos de árvore.

✻✻✻

Cansado de incêndios e de tempestades de vento, Valdeci estava temeroso de novos investimentos no lote. Foi quando, no fim de 2005, um amigo lhe ofereceu uma linha de transporte para coleta e distribuição de leite. Ali ele também aproveitou a oportunidade de dar utilidade ao caminhãozinho comprado na febre do bananal.

Com o apoio da mulher, Valdeci mudou de rotina. Acorda todos os dias às cinco horas, toma café, ouve os gritos do líder dos macacos bugio e, antes das seis da manhã, já está com o seu caminhãozinho pelas trilhas de terra da região. Ele recolhe o leite de 63 produtores, entre assentados e pequenos proprietários.

Na porta de cada lote há uma banquinha – uma tábua em cima de um toco de madeira – na qual ficam os tambores de leite. Tudo tem de ser entregue antes do meio-dia numa indústria de leite no município vizinho de Mirante da Serra, antes conhecido como Cinqüenta e Oito.

Todos os dias, Valdeci percorre exatos 112 quilômetros. Nos tempos de seca, volta para casa antes das duas da tarde. Já em época de chuva, por conta dos seguidos atoleiros no caminho, é comum estacionar o caminhãozinho sem a luz do sol.

O trabalho é árduo, de segunda a segunda. Não há folgas em feriados nem nos fins de semana. Em todo o ano, as duas únicas exceções são a Sexta-Feira Santa e o dia de Natal. É preciso recolher o leite em 24 de dezembro e 1º de janeiro, por exemplo.

Além disso, para não perder o direito à linha, Valdeci é obrigado a fretar outro veículo em caso de quebra ou de atolamento do "caminhãozinho".

O leite tem de chegar de qualquer jeito à indústria.

***

Aos 47 anos, com oito malárias e avô de seis netos, o recolhedor de leite e ex-dirigente do MST carrega sonhos.

Pretende concluir o acabamento da casa de alvenaria e entrar na onda do biocombustível, quem sabe com uma vasta plantação de cana no lote de 25 hectares.

Ao mesmo tempo, tem vontade de chorar ao comparar a atual quantidade de água nos riachos com os tempos de abundância quando chegou a Rondônia. Outro motivo de tristeza é quando um dos quatro filhos, espalhados pelo estado, cobra-o diretamente pela dedicação à militância e pelo pouco-caso com a infância de cada um deles.

— A gente escuta e dói pra caramba. Mas, se eu pudesse voltar aos 20 anos, faria tudo de novo. E eles sabem disso. Não me arrependo de nada — diz Valdeci, fazendo fumaça com seu cigarro de palha.

Pioneiros do MST

Cronologia

1979 – Cerca de 110 famílias invadem a fazenda Macali, no município de Ronda Alta, no Rio Grande do Sul. O ato, no dia 7 de setembro, é considerado um dos pontos de início da "gestação" do MST.

1982 – Em setembro, seminário da CPT em Goiânia (GO) reúne 22 agentes de pastoral e 30 líderes sem-terra, posseiros, meeiros e arrendatários, de 17 Estados. É levantada a idéia da criação de um movimento nacional dos sem-terra, autônomo à Igreja Católica.

1984 – É criado o MST, durante o Primeiro Encontro Nacional dos Trabalhadores Rurais Sem Terra, ocorrido em janeiro, em Cascavel (PR). Evento reúne representantes de 11 Estados (RS, SC, PR, SP, MS, ES, BA, PA, GO, RO e AC).

1985 – Em janeiro, em Curitiba (PR), o MST realiza seu primeiro Congresso Nacional. Nele, o movimento elege a primeira direção nacional, com 20 integrantes, sendo dois de cada um dos seguintes Estados: RS, SC, PR, MS, SP, RJ, ES, MG, BA e RO. Cerca de 1.500 delegados aprovam a palavra de ordem: "Ocupação é a única solução".

1988 – O MST vê o fracasso das propostas de reforma agrária ao final da Constituinte. No 4º Encontro Nacional, em Piracicaba (SP), é aprovada resolução que visa eleger o maior número possível de militantes nas eleições municipais de novembro.

Pioneiros do MST

CRONOLOGIA

1990 - Em maio, o MST organiza o segundo Congresso Nacional, em Brasília. É o início do governo Collor, e o movimento começa a sentir a repressão. Cerca de 4.000 delegados, de 20 Estados, avaliam que é o momento de deixar o isolamento do campo e buscar apoio nas cidades.

1993 - Em 2 de fevereiro, representantes do movimento são recebidos por Itamar Franco no Palácio do Planalto, na primeira audiência oficial do MST com um presidente da República.

1995 - Cerca de 5.000 delegados, no terceiro Congresso Nacional do MST, aprovam o lema: "Reforma Agrária, Uma Luta de Todos".

1996 - Em 17 de abril, 19 trabalhadores rurais ligados ao MST são assassinados por policiais militares durante a desobstrução da rodovia PA-150, em Eldorado do Carajás (PA). O caso tem repercussão internacional, o que fortalece o nome do movimento.

1997 - Em fevereiro, marcha nacional liderada pelos sem-terra leva cerca de 50 mil pessoas a Brasília. Em 17 de abril, dia da chegada da marcha, é lançado o livro *Terra*, com fotos de Sebastião Salgado e textos do escritor português José Saramago, acompanhado de uma canção ("Assentamento") de Chico Buarque.

1998 - O MST surpreende ao promover uma onda de invasões a prédios públicos e a pressionar não apenas pela desapropriação de terras, mas também por créditos aos novos assentados da reforma agrária.

Pioneiros do MST

CRONOLOGIA

2000 - Em encontro nacional, define-se que a direção nacional do movimento passa a ser dividida igualmente entre homens e mulheres. No mesmo ano, governo edita medida provisória que impede a desapropriação de áreas invadidas. Por conta disso, o MST entra em refluxo.

2002 - Em março, o MST invade fazenda do presidente Fernando Henrique Cardoso, em Buritis (MG). O governo classifica a ação como "terrorista" e o PT, de olho nas eleições, também condena a investida. No segundo semestre, o MST atua na campanha de eleição de Luiz Inácio Lula da Silva.

2003 - O MST aparece no centro da primeira crise do governo petista. Em maio, numa audiência com líderes sem-terra no Planalto, Lula coloca um boné vermelho do movimento, e a oposição o acusa de ser conivente com as invasões de terra. Para investigar o MST, é criada a CPI da Terra.

2004 - No final de março, João Pedro Stedile declara que "abril vai ser o mês vermelho", numa referência às cores do movimento espalhadas em ações pelo país. A promessa é cumprida. Em abril, o governo registra 109 invasões, sendo 79 delas do MST, um recorde de ações num único mês.

2005 - Em maio, para pressionar o governo Lula, 15 mil integrantes do movimento percorrem a pé os 200 km entre Goiânia e Brasília, na maior marcha da história do MST. Em agosto, no auge da crise do "mensalão", o MST se une a movimentos sindicais e estudantis e sai às ruas contra a iniciativa da oposição de sugerir o impeachment do presidente petista.

Pioneiros do MST

CRONOLOGIA

2006 - Apesar da lentidão da reforma agrária no primeiro mandato petista, o MST anuncia apoio a Lula no segundo turno, na disputa contra o tucano Geraldo Alckmin. Em artigo publicado na Folha de S.Paulo, João Pedro Stedile afirma que "é preciso barrar a direita e derrotar Alckmin".

2007 - Após ter poupado Lula durante todo o primeiro mandato, no qual centrou sua pressão na equipe econômica, a cúpula do MST decide mirar seus ataques diretamente no presidente Lula. Um cartaz com a foto do petista é espalhada pelo país: "Por que não sai reforma agrária?".

Pioneiros do MST

334

Agradecimentos

À *Folha de S.Paulo*, pelos três meses de licença-remunerada para o trabalho específico neste livro

A Sérgio Lima, parceiro de redação, de coberturas nacionais e internacionais e de todo este projeto

A Melchiades Filho, pelo apoio e incentivo ao projeto

À Luciana Villas Boas, pela única exigência ao aprovar este projeto: que fosse um livro sem preconceitos

A Leonencio Nossa e a Roberto Maltchik, pela leitura dos originais e pelas oportunas sugestões

A Luís Zimbarg, do Cedem (Centro de Documentação e Memória) da Unesp (Universidade Estadual Paulista), pela presteza nas pesquisas

A Corban Costa, Diógenes J. Silva e Salvatore Casella, pelas dicas e pelo apoio logístico

A cada um dos personagens deste livro. Pela recepção em suas casas, pela abertura de seus arquivos e pela confiança em narrar suas conquistas, suas derrotas, suas vidas

E, em especial, a Mario, Rosa, Bruna e Renata.

Fontes consultadas

Duas obras foram fundamentais na finalização deste livro. A primeira delas ajudou a localizar com exatidão locais e datas de ações, como marchas e invasões de terra, citadas nas entrevistas. A segunda colocou num plano macro os passos de cada um dos personagens.

FERNANDES, Bernardo Mançano. *A Formação do MST no Brasil.* Petrópolis: Editora Vozes, 2000.

_____ e STEDILE, João Pedro. *Brava Gente - A Trajetória do MST e a Luta pela Terra no Brasil.* São Paulo: Editora Fundação Perseu Abramo, 1999.

Outras fontes consultadas:

BETTO, Frei. *Batismo de Sangue - Guerrilha e Morte de Carlos Marighella.* Rio de Janeiro: Rocco, 2006.

_____. *O que é Comunidade Eclesial de Base.* São Paulo: Editora Brasiliense, 1981.

CAVALCANTI, Klester. *Viúvas da Terra - Morte e Impunidade nos Rincões do Brasil.* São Paulo: Editora Planeta do Brasil, 2004.

COMPARATO, Bruno Konder. A Ação Política do MST. São Paulo: Expressão Popular, 2003.

CORRA, Antônio Inácio. *Um Lavrador no Reino do Latifúndio - A Luta Secular de Davi contra Golias.* Petrópolis: Editora Vozes, 1988.

GOMES, Iria Zanoni. *1957, A Revolta dos Posseiros.* Curitiba: Criar Edições, 2005.

FONTES CONSULTADAS

GÖRGEN, Frei Sérgio A. *O Massacre da Fazenda Santa Elmira.* Petrópolis: Editora Vozes, 1989.

MORISSAWA, Mitsue. *A História da Luta pela Terra e o MST.* São Paulo: Expressão Popular, 2001.

NEPOMUCENO, Eric. *O Massacre - Eldorado do Carajás: uma História de Impunidade.* São Paulo: Editora Planeta do Brasil, 2007.

SCOLESE, Eduardo. *A Reforma Agrária (Folha Explica).* São Paulo: Publifolha, 2005.

SILVA, Emerson Neves da. *Formação e Ideário do MST.* São Leopoldo: Editora Unisinos, 2004.

STEDILE, João Pedro (org.). *História e Natureza das Ligas Camponesas.* São Paulo: Expressão Popular, 2002.

Outras fontes de informação:

- Folha de S.Paulo
- O Estado de S. Paulo
- Jornal dos Trabalhadores Rurais Sem Terra
- Mulheres Rurais Construindo sua História - A História do Movimento de Mulheres Unidas na Caminhada - MMUC - Santa Maria da Vitória, 2003
- Arquivo Nacional - Documentos do Exército, da Polícia Federal e do antigo SNI, o Serviço Nacional de Informações
- www.mst.org.br
- www.ufes.br
- www.sbpcnet.org.br

Pioneiros do MST

JORNAL DOS TRABALHADORES SEM TERRA

Porto Alegre — Fevereiro de 1985 — Ano III — N° 42

"SEM TERRA NÃO HÁ DEMOCRACIA"

Cerca de 1.500 lavradores de todo o Brasil realizaram em Curitiba, PR, o maior encontro pela terra dos últimos anos. Após três dias de discussões, os trabalhadores aprovaram um documento que será entregue ao futuro presidente da República, onde deixam claro, entre outras coisas, que o acesso à terra é princípio básico para um governo democrático. Tancredo Neves, convidado, não compareceu. Mas centenas de entidades, lideranças sindicais, religiosas, políticas e cinco delegações estrangeiras prestigiaram o 1° Congresso dos Trabalhadores Sem Terra.
Tudo sobre o Congresso nesta **edição especial** de 20 páginas.

EDIÇÃO ESPECIAL
1° Congresso Nacional
29 a 31 — janeiro
Curitiba — Paraná
1985

No Documento Final, as principais reivindicações a serem encaminhadas às autoridades.

As exigências do Movimento

Depois de três dias de muita discussão, os 1.500 delegados, representando todos os estados brasileiros, aprovaram o documento final do 1º Congresso Nacional dos Trabalhadores Sem Terra. O documento será entregue às autoridades fundiárias estaduais e federais, e ao futuro presidente da República, Tancredo Neves, em audiência que deverá ser marcada para o próximo mês de março. Destacamos aqui alguns pontos dos seis itens que aborda o documento:

Em relação à distribuição e uso das terras:

— Que seja realizada uma Reforma Agrária no Brasil com a plena participação dos trabalhadores rurais

— Que o governo aplique no mínimo 5 por cento do orçamento da União para a Reforma Agrária.

— Que o governo distribua imediatamente todas as terras que estão nas mãos dos governos estaduais e federal.

— Que os governos estaduais tenham autonomia para realizar desapropriações para a Reforma Agrária.

Sobre as multinacionais:

— Expropriação de todas as terras das multinacionais e proibição de estrangeiros adquirirem terras daqui para a frente no Brasil.

Colonização:

— Fim de toda e qualquer colonização dirigida, seja pelo governo, empresa privada ou cooperativa.

— Assistência adequada, em todos os níveis, nos projetos de colonização já existentes.

Sobre os órgãos governamentais de política fundiária:

— Extinção do GETAT, SUDAM, CODEVASF, SUDENE e do Ministério de Assuntos Fundiários, além dos institutos de terras estaduais.

— Criação de novos organismos federais e estaduais, com a participação dos trabalhadores no processo de criação e na administração.

Em relação à violência no campo:

— Exigimos que o governo federal assuma a apuração de todos os assassinatos e a punição dos mandantes e executores dos crimes.

— Exigimos o desmantelamento de todos os organismos de repressão, inclusive os paramilitares.

— Exigimos a autonomia do Poder Judiciário e a criação de um Fórum de Justiça Agrária dentro do Poder Judiciário.

E com relação ao **Estatuto da Terra**, os trabalhadores rurais acabaram decidindo pela sua extinção e a criação de novas leis agrárias, com a participação dos trabalhadores rurais e com base na prática e experiência de lutas dos mesmos.

A Direção Nacional

A nova Coordenação Nacional ficou composta por dois lavradores de cada um dos estados que oficialmente fazem parte do Movimento dos Trabalhadores Sem Terra. Além desta Coordenação, responsável pelas decisões políticas do Movimento, os sem terra escolheram uma Executiva de dez membros, entre a própria Coordenação. Esta Executiva deverá encaminhar as atividades do Movimento durante o ano. Abaixo destacamos os nomes dos representantes da Coordenação e da Executiva Nacional.

RIO GRANDE DO SUL
Darci Maschio — Executiva
Geraldo Rodrigues
SANTA CATARINA
Francisco Dall'chiavon — Executiva
Agnor Bicalho Vieira
PARANÁ
Neuri Mantovani — Executiva
Jandir Basso
SÃO PAULO
Francisco Nascimento — Executiva
José Fernandez
MATO GROSSO DO SUL
Santina Gracielle — Executiva
Milicio Pereira da Silva
RIO DE JANEIRO

Osvaldo de Oliveira — Executiva
Laerte Rezende Bastos
ESPÍRITO SANTO
Osvaldo Xavier — Executiva
Silvio Manoel dos Santos
MINAS GERAIS
Santos Luiz Silva — Executiva
Antonio Inácio Correa
BAHIA
Adalberto Rocha Pacheco — Executiva
Olinda Maria de Oliveira
RONDÔNIA
Valdecir Assis de Andrade — Executiva
Lourival Dias de Oliveira

"Vale a pena a mulher buscar a libertação"

Santina Gracielle, 29 anos, casada, três filhos, é uma das duas mulheres que fazem parte da Coordenação Nacional do Movimento dos Sem Terra. Para chegar a esta posição ela enfrentou muitas barreiras impostas, às vezes, pelos próprios homens companheiros de Movimento. Mas Santina tem uma vida de luta e não se deixou intimidar com isso. No Congresso, ela e outras companheiras reuniram todas as mulheres e exigiram a participação na Coordenação Nacional. São duas apenas e Santina acha pouco, por isso afirma que vai continuar esta luta dentro do Movimento dos Sem Terra.

Nesta entrevista, ela fala um pouco de sua vida de posseira e desta nova esperança que surge para a mulher trabalhadora do campo.

ST — Fale um pouco de sua vida.
SANTINA — Sou posseira, filha de trabalhador rural que sempre migrou em busca de terra. Saí do Rio Grande do Sul e fui para Mundo Novo, no Mato Grosso. Daí para o Paraguai, e depois de novo para o Mato Grosso do Sul, até que decidimos, junto com outras famílias, entrar na Gleba Santa Idalina, na terra que a SOMECO dizia ser dela.

ST — E depois?
SANTINA — Em maio de 1984 fo-

Santina, firme na luta

mos despejados com muita violência pela polícia. Fomos para a Vila São Pedro, da Igreja de Dourados e ficamos quase cinco meses acampados.

ST — E hoje?
SANTINA — Fui caminhando, fui aprendendo. Em 29 anos de idade eu não aprendi o que aprendi em 10 meses de Movimento. Foi muito importante esta experiência para mim. Por isso, eu acho que vale muito a pena cada mulher buscar a sua libertação, a sua participação.

ST — Como foi a conquista da terra em Nioaque?

SANTINA — Foi com muita pressão, muita organização. O governo cedeu 2.500 hectares para as 476 famílias na Gleba Padroeira do Brasil, no município de Nioaque. A conquista foi parcial, porque a terra não dá para todos, tem parte que não é produtiva.

ST — As mulheres tiveram participação nesta conquista?
SANTINA — Sim, tiveram e foi bastante. Nos grupos a gente sempre reunia mulheres, embora tem muitas que, até hoje, acham que a mulher não deve assumir a luta. E ainda hoje tem homens dentro do acampamento, que são lideranças, que acham que as mulheres não devem participar das decisões. E eu acho que tem pouca mulher participando, que a Coordenação deve ter homens e mulheres em número igual.

ST — Como é que você faz para ir em reuniões, viagens... Seu marido aceita?
SANTINA — É difícil, tenho muitas dificuldades para participar. Ele não gosta, não participa, mas também não interfere. Às vezes ele coloca resistência, mas com diálogo mostro a ele que é importante a participação. Eu vou para a roça, cuido da casa, lavo, passo, cozinho, cuido das crianças, e ainda participo do Movimento. Já vou educando meus filhos com igualdade.

Tem vezes, como aconteceu agora, eu fico pensando: "Será que devo ir, será que devo deixar meu marido doente com os meninos?". Mas depois, vejo que tenho que lutar por eles, tenho que lutar para que meus filhos tenham uma vida melhor. Não ia adiantar nada se eu ficasse dentro de casa. Se eu não sair e não lutar, minha família vai ficar em situação ainda pior. Tenho certeza de que as mulheres que estão aqui têm consciência disto.

ST — Você acha que é necessário fazer reuniões só de mulheres?
SANTINA — Eu acho. Quando a reunião é junto com homens, a mulher se reprime. A mulher tem medo de decisões. Quando a reunião é só de mulheres, ela consegue se abrir.

ST — Você acha que isto da mulher conversar com outras e se abrir para a luta aconteceu aqui no Congresso?
SANTINA — Sim, e bastante. Muitas mulheres vão sair daqui mais fortes, muitas lideranças de mulheres estão sendo descobertas. As mulheres estão se ajudando, estão conquistando espaço. E está também conversando sobre elas, coisa que, normalmente, a gente não tem tempo e nem oportunidade de fazer, que é conversar sobre a gente, sobre os filhos.

SEM TERRA Página 19

Geraldo dos Santos, Francisco Dal Chiavon (Chicão), Agnor Bicalho Vieira (Parafuso), Francisco Nascimento, José Fernandez, Antonio Inácio Correa, Santos Luiz Silva, Santina Grasseli, Milício Pereira da Silva, Olinda Maria de Oliveira, Adalberto Rocha Pacheco (Betão), José Rainha Júnior, Osvaldo Xavier, Valdeci Assis de Andrade, Lourival Dias de Oliveira, Laerte Rezende Bastos e Osvaldo de Oliveira, ao final do primeiro congresso nacional do MST, em 1985.

João Pedro Stedile (à esquerda) e Geraldo dos Santos (de óculos, no alto, à direita), em reunião durante o congresso, em Curitiba (PR).

Pioneiros do MST

Santina Grasseli e Francisco Dal Chiavon (Chicão), ao final do primeiro congresso nacional do MST.

ANEXOS

Pioneiros do MST

ANEXOS

DOCUMENTO FINAL DO PRIMEIRO CONGRESSO NACIONAL DOS TRABALHADORES RURAIS SEM TERRA

Os 1.500 delegados, representando todos os Estados do Brasil, reunidos em Curitiba-PR, nos dias 29, 30 e 31 de janeiro de 1985, no I Congresso Nacional dos Trabalhadores Rurais Sem Terra, EXIGEM:

NOSSAS EXIGÊNCIAS AO GOVERNO

1 — Em Relação à Distribuição e Uso das Terras

1 — Que a terra seja para quem nela trabalha.

2 — Que a Reforma Agrária seja feita sob controle dos trabalhadores.

3 — Que os trabalhadores rurais tenham o poder de decidir como se vai dividir as terras, como se vai cultivar e também sobre a forma de titulação.

4 — Que o governo legalize todas as terras que forem ocupadas.

5 — Que o tamanho máximo das propriedades seja fixado de acordo com as regiões, não devendo ultrapassar a 500 hectares.

6 — Que o governo desaproprie todas as propriedades acima de 500 hectares.

7 — Que na distribuição das terras se respeitem as necessidades de cada família, de acordo com cada região.

8 — Que o Estado garanta toda as condições de produção e de assistência nas terras distribuídas.

9 — Que o governo estimule a produção para o atendimento das necessidades de todo o povo.

10 — Que o governo garanta que a produção respeite a preservação do meio ambiente.

11 — Que o governo aplique, no mínimo, 5% do orçamento da União para a Reforma Agrária.

12 — Que o governo distribua imediatamente todas as terras nas mãos dos governos Federal e Estadual.

13 — Que os assentamentos sejam nos Estados e regiões de origem dos trabalhadores.

14 — Que os governos Estaduais possam realizar desapropriação para a Reforma Agrária.

Pioneiros do MST

ANEXOS

2 — Sobre as Multinacionais

1 — Expropriação de todas as terras das multinacionais e proibição de estrangeiros terem terra daqui para a frente aqui no Brasil.

3 — Colonização

1 — Fim de toda e qualquer colonização dirigida, seja pelo governo, empresa privada ou cooperativas.
2 — Assistência adequada, em todos os níveis, nos projetos de colonização já existentes.

4 — Sobre os Órgãos Governamentais

O que queremos em relação ao Ministério Extraordinário Para Assuntos Fundiários (MEAF), INCRA, e aos Institutos de Terra de cada Estado (GETAT, SUDAM, CODEVASF, JICA):

1 — Extinção do MEAF, GETAT, SUDAM, CODEVASF e SUDENE e os Institutos de Terra dos Estados.
2 — Criação de novos organismos com a participação dos trabalhadores na criação e administração.
3 — Os trabalhadores, ao ocuparem as terras, devem ir criando as suas próprias leis e organismos.
4 — Criação de organismos estaduais com a participação dos trabalhadores tendo autonomia em relação ao Governo Federal.
5 — Criação de um fórum de Justiça Agrária dentro do Poder Judiciário, com a participação dos trabalhadores.

5 — Estatuto da Terra

1 — O Estatuto da Terra não presta. Exigimos que seja extinto.
2 — Exigimos que sejam criadas novas leis, com a participação dos trabalhadores a partir da prática e da luta dos mesmos.

Pioneiros do MST

ANEXOS

6 — Em Relação À Violência No Campo

1 — Que o Governo implante a Reforma Agrária com a participação dos trabalhadores como única forma de acabar com a violência no meio rural.
2 — Exigimos segurança para nossa luta de organização do Movimento Sem Terra.
3 — Exigimos que o Governo Federal assuma a apuração de todos os assassinatos e punição dos mandantes e executores dos crimes.
4 — Exigimos que acabe a violência nas ocupações de terra.
5 — Confisco dos bens dos mandantes dos crimes em favor das vítimas e dos trabalhadores.
6 — Que se resolvam os problemas da terra sem o uso da polícia.
7 — Que o Governo respeite os direitos do trabalhador rural.
8 — Que o Governo apoie a luta e os organismos dos trabalhadores.
9 — Que a Justiça seja igual para todos.
10 — Que o Governo faça controle dos cartórios de registro de imóveis para evitar a falsificação de registros.
11 — Que a repressão policial seja utilizada contra a criminalidade e não contra os trabalhadores.
12 — Exigimos o desmantelamento de todos os organismos de repressão, inclusive os paramilitares.
13 — Exigimos autonomia do Poder Judiciário e a criação de uma Justiça Agrária.
14 — Consideramos os Governos Estadual e Federal os responsáveis por todos os atos de violência e assassinatos de trabalhadores e exigimos que o governo acabe com as ameaças e pressões contra os trabalhadores.

Pioneiros do MST

ANEXOS

DECISÕES INTERNAS DO MOVIMENTO

1 — Orientações gerais para as Bases

1 — Que se ocupe imediatamente todas as terras ociosas e públicas.

2 — Que o uso das terras seja comunitário, mas não obrigatório, estimulando as formas coletivas.

3 — Que os agricultores se organizem em formas alternativas de associação para a produção e comercialização.

4 — No caso da posse coletiva, quando alguém deixar a posse, a terra deve ser repassada para a coletividade com todas as benfeitorias.

5 — Orientar os companheiros para que não sejam forçados para sair dos seus Estados.

6 — *Usar o Estatuto da Terra como forma de pressão, e como forma de conscientizar o trabalhador nas bases de seus direitos.*

7 — Que se faça um estudo aprofundado do Estatuto da Terra, nas bases, e, a partir daí, levantar as sugestões para formulação de uma nova lei dos trabalhadores.

8 — Lutar para aplicação das partes boas que interessem ao trabalhador e para criação de uma nova lei com nossas reivindicações.

9 — Não basta mudar apenas uma lei, precisamos lutar para mudar todo o sistema político do país.

10 — Que os trabalhadores se articulem para criar as suas próprias formas de defesa.

11 — Quando o governo não assumir a punição de mandantes e executores de crimes contra os trabalhadores, devemos fazer a justiça com nossas próprias mãos.

12 — Condenar e denunciar publicamente o abuso de autoridade e violência comandadas por secretários de segurança, exigindo a destituição dos mesmos.

2 — Prioridades para o Trabalho de Base

1 — Levar estas propostas para as bases, para discutirem e encaminhar. O que foi discutido aqui no Congresso não seja levado para os trabalhadores nas bases, como decisões de cima para baixo mas sim como forma de iniciar a discussão e aprofundamento, para que os próprios trabalhadores decidam.

2 — Continuar e ampliar a organização dos Sem Terra, em todos os níveis.

3 — Fazer o levantamento das terras ociosas e latifúndios para ocupação.

4 — Discutir nas bases a questão da Constituinte.

5 — Trabalho de conscientização das bases, com os documentos do Congresso e do Movimento Sem Terra geral.

6 — Realizar as concentrações públicas nos municípios e estados.

7 — A transformação dos sindicatos pelegos, e apoio à CUT.

8 — Organizar e ampliar a resistência na terra.

Pioneiros do MST

DECISÕES DAS MULHERES TRABALHADORAS RURAIS

1 — Participação

1 — Formar grupos por municípios.
2 — Fazer reuniões de base, tendo uma responsável por cada núcleo.
3 — Participar ativamente dos movimentos reivindicatórios. Não ter medo da luta.
4 — Participar mais do sindicato e lutar pela Reforma Agrária.
5 — Tomar iniciativa própria. Acreditar na nossa força e na nossa capacidade.
6 — Conquistar espaço político na sociedade.
7 — Assumir a luta de igual para igual com os companheiros.
8 — Despertar em nossas companheiras a consciência crítica, principalmente sobre a situação sócio-econômica e política do país.
9 — Organizar as mulheres nas ocupações, greves e movimentos populares.
10 — Liberar mulheres para fazer trabalhos de base na assessoria e na CPT.
11 — Os homens têm que tomar mais consciência e contribuir mais para que possamos participar ativamente da luta.

2 — Articulação

1 — Manter correspondência com as companheiras Sem Terra.
2 — Fazer maior divulgação da luta da mulher Sem Terra em todos os espaços que estão lutando pela Reforma Agrária.
3 — Formar uma coordenação de mulheres: estadual, regional e nacional, depois das mulheres estarem organizadas nas bases.
4 — Que a Coordenação Nacional do Movimento seja formada de homens e mulheres equilibradamente.

DECISÕES DO GRUPO INDÍGENA

1 — Somos também Sem Terra, porque 80% das nossas atuais terras não são demarcadas, além de muitas das nossas terras estarem invadidas.
2 — Uso da terra: nossa forma é de não ter proprietários, sugerimos esta forma aos companheiros Sem Terra.
3 — Quanto a colonização: não queremos a colonização de nossas terras. Desapropriem-se os latifúndios improdutivos, e terras de estrangeiros.

EXIGÊNCIAS AO GOVERNO

Demarcação das terras indígenas e garantia de posse.

Pioneiros do MST

ANEXOS

| CONFIDENCIAL |

SERVIÇO NACIONAL DE INFORMAÇÕES
Agência Curitiba

PEDIDO DE BUSCA Nº 00189/19/ACT/84

DATA   : 27 NOV 84.
ASSUNTO   : 1º CONGRESSO NACIONAL DOS TRABALHADORES RURAIS SEM TER
              RA - CURITIBA/PR.
DIFUSÃO   : 5ª RM/DE - SR/DPF/PR.

DADOS CONHECIDOS:

a. Está prevista, para o período de 29 a 31 JAN 85, em CURITIBA/PR,
   a realização do 1º Congresso Nacional dos Trabalhadores Rurais
   Sem Terra.

b. Para o evento são esperados de 1.200 a 1.500 delegados, além de
   representantes de várias entidades brasileiras e estrangeiras.

c. Segundo o boletim nº 13, de NOV 84, da COMISSÃO PASTORAL DA TER-
   RA - Regional SÃO PAULO (CPT/SP), o Congresso visa:

   - Unificar o Movimento a nível nacional;
   - Fortalecer e expandir o Movimento nas bases em todos os luga-
     res;
   - Pressionar os Governos Estaduais e Federal;
   - Levar à opinião pública a realidade dos lavradores sem terra;
   - Tornar o Movimento conhecido a nível nacional;
   - Influir no atual momento político; e
   - Discutir e apresentar nossas exigências ao Governo Federal.

d. As solenidades de abertura e encerramento estão previstas para o
   Teatro GUAIRA e os demais trabalhos nas dependências dos colégios MEDIANEIRA e MARIAPOLIS.

| CONFIDENCIAL |

Pioneiros do MST

ANEXOS

MINISTÉRIO DO EXÉRCITO Goiânia-Go, 07 / JANEIRO / 85
CMP/11ª RM - 3ª BDA INF MTZ Prot. n.º 2611/85
2ª SEÇÃO

PEDIDO DE BUSCA Nº C05 E2/85

1. ASSUNTO: I CONGRESSO NACIONAL DOS TRABALHADORES SE/TERRA - CURITIBA/PR - 2.6. OUTROS
2. ORIGEM: CIE (VIA CMP)
3. AVALIAÇÃO: .-.-
4. DIFUSÃO: 42ºBIMtz - AGO/SNI
5. DIFUSÃO ANTERIOR: I, II, III e IV Ex, CMA CMP e 3ª BDA INF MTZ
6. REFERÊNCIA: .-.-
7. ANEXO: .-.-

DADOS CONHECIDOS:

a. Haverá em CURITIBA/PR, de 29 a 31 Jan 85, o 1º / CONGRESSO NACIONAL DOS TRABALHADORES SEM TERRA, inclusive com participação de estrangeiros.

Estarão presentes:
- Estados do RIO GRANDE DO SUL, SANTA CATARINA, PARANÁ, MATO GROSSO DO SUL e SÃO PAULO.

Virão 135 lavradores representantes-delegados e 15 agentes (provavelmente agentes da Pastoral da Terra) por Estado.
- Estados de MINAS GERAIS, BAHIA, GOIÁS e RIO DE JANEIRO.

Virão 25 lavradores representantes e 5 agentes por Estado.
- Demais Estados participarão com 12 lavradores-representantes e 3 agentes, cada

b. O Congresso terá por objetivos:
- Unificar o Movimento a nível nacional.
- Fortalecer e expandir o Movimento nas bases, em todos os lugares
- Pressionar os governos estaduais e Federal

Pioneiros do MST

ANEXOS

| CONFIDENCIAL |

Continuação d(o)(a)　　　　n.º *OO5* E2/85 - 3ª Bda Inf Mtz - Fl. 02

- Levar à opinião pública a realidade do Sem Terra.

- Tornar o Movimento conhecido a nível nacional.

- Influir no atual momento político.

- Discutir e apresentar nossas exigências ao novo Gover

no Federal.

c. Ficará à critério de cada Estado a conveniência ou não
de convidar a FEDERAÇÃO DOS TRABALHADORES NA AGRICULTURA, alguma
pessoa ou Federação, devendo comunicar à Secretaria do Encontro
para que se providencie o convite, para participação como convida
dos.

d. Cada delegação deverá ter uma pessoa responsável para
trazer a lista de nomes e endereços dos delegados e agentes, que
devetá ser entregue à Secretaria do Congresso no momento da che
gada. E, também, para colaborar com a coordenação do Congresso.

e. Todos os Estados deverão procurar fazer companhas de
finanças, através de diversas formas, para ajudar nas despesas de
viagem dos delegados. A Secretaria do Congresso confeccionará ca
misetas que estarão à disposição a partir de dezembro de 48.

DADOS SOLICITADOS:

1. Levantamento dos participantes (delegados e agentes)'
da área;

2. Meios de locomoaão e data, para CURITIBA/PR;

3. Encontros preparatórios realizados;

4. Atividades da Comissão Pastoral da Terra(CPT) local,
em relação ao Congresso;

5. Outros dados julgados úteis e/ou oportunos.

xxxxxxxxxxxxxxxxxxxxxxxxxxxxxxxxx

A SE - J

EM 08 JAN 1965

| CONFIDENCIAL |

Pioneiros do MST

Este livro foi composto na tipologia Eidetic Neo
e impresso em papel offset 90g/m²
Prol Editora Gráfica Ltda.